KB195878

김정웅의 브랜딩 응원가

당신은 특별합니다

이 땅의 수많은 당신에게

김정웅의 브랜딩 응원가

당신은 특별합니다

김정웅 지음

새로운사람들

차례

신(身)
언(言)
서(書)
판(判)

실패한 경청
세종대왕의 경청
잘 듣는 것이 잘 말하는 것보다 어렵다
경청과 우문현답
경청과 지음
유방과 항우
자연의 소리와 경청
변화의 소리와 경청

왜 설득인가
하이브리드 설득
외교담판과 설득
쇼호스트는 설득의 달인
맹자는 설득의 대가
이성적 설득 감성적 설득
설득력 있는 광고
설득력 있는 자기소개
프레젠테이션과 설득
설득 10계명

돌파구
주도(酒道) 확립
독서칠결에 비춘 일곱 가지 주도

8장. 독서 – 책 읽어 주는 당신, 책 선물하는 당신 ····· 253

반면교사
나는 서점에 간다
나를 키운 것은 도서관
도서관에 가면
우주는 거대한 도서관
책의 날을 기념하자
독서법
책 고르기
독서 습관의 육하원칙
책과 인생

프롤로그

침, 뱉고 나서 후회할지도 모르지만

나는 이 글을 쓰는 내내 입속에 있는 침에 대해 생각했다. 침은 침샘에서 분비되는 소화액이다. 침은 우리 몸을 위해서 좋은 일을 많이 한다. 음식물을 부드럽게 하고 소화가 잘되게 도와주고 미각에도 관여한다. 침은 감염에 저항하는 몇 가지 물질을 가지고 있기도 하다. 외부에서 들어오는 세균의 증가를 억제하거나 사멸시키는 역할도 한다. 입속의 침은 우리가 생각하고 있는 것 이상으로 고마운 존재다. 입에 침이 마르도록 입안의 침을 칭찬해 주어야 한다. 입안에 존재하는 동안 발휘되는 침의 소중한 가치다.

그러나 침이 입 밖으로 나오면 상황은 달라진다. 아스팔트 위에 가래와 함께 묻어 있는 침. 의미 없게 벌어진 입에서 흘러내리는 침. 그러한 침은 더럽거나 돌아보고 싶지 않은 손가락질의 대상이다. 침의 가치는 침이 어디에 존재하고 있느냐에 따라 하늘과 땅만큼의 차이가 발생한다.

이 책의 내용은 어찌 보면 내 입안의 침과 같은 운명일 수도 있겠다는 생각을 했다. 내 머릿속에서 가만히 존재하고 있으면 그런대로 소중한 기억으로서의 가치를 유지할 수도 있을 것이다. 하지만 이렇게 세상 밖으로 나온다면 그것은 입 밖으로 뱉어 버려진 가래침 신세가 될 수도 있을 것을 염려해서다. 그러나 밖으로 꺼내서 이렇게 써야만 했다.

첫 만남, 그리고 인연

꽃샘추위가 봄을 시샘하듯 몹시도 쌀쌀했던 그날. 첫 만남에서 나는 당신에게 퀴즈 하나를 냈다. 만남의 인사치고는 참 재미없는 방법이었다. 특이한 문제는 아니었다. 내가 여기저기에서 사용했던 것인데 다음과 같은 문제였다.

잠자리 날개가 바위를 스쳐 그 바위가 하얀 가루가 될 즈음에 그제야 한 번쯤 찾아오는 것은?
정답: 인연(因緣)

나는 피천득 선생의 『인연(因緣)』을 직접 읽었다. 춘천을 생각했고 '아사코'라는 여인을 그려 보았다. 가슴이 콩닥콩닥 뛰는 풋사랑의 느낌과 빛바랜 사진의 끝 느낌을 동시에 공유했다. 인연의 의미를 서로 나누어 지녔다. 악연이 아닌 좋은 인연이 되었으면 좋겠다고 말했다. 서로가 열심히 노력하자는 다짐도 했다.

등은 거짓말을 할 줄 모른다

그 만발한 벚꽃을 저만치에 두고 당신은 너무도 중요한 'Hot Project'를 준비하고 있었다. 당신은 예의 많은 밤을 새웠다. 어느 늦은 저녁이었다. 나는 당신의 뒷모습을 보았다. 고개를 좌우로 흔들기도 하고 머리를 쥐어박기도 하고 그리고 다시 고개를 숙여서 뭔가를 써 내려 가기도 했다. 그럴 때마다 양어깨가 시소 타듯이 좌우로 흔들렸다. 당신은 필승 전략을 수립하는 중이었고 또한 신선한 아이디어를 짜내는 중이었다. 미친 듯이 일에 몰두하는 당신의 모습이었다. 그런데 나는 보지 말았어야 할 것을 보고야 말았다. 당신의 등 아래로 흘러내리는 힘겨움, 외로움, 절실함의 모습 말이다. 그것은 오늘보다 더 좋은 내일을 만들기 위한 당신의 안간힘이었다. 당신에게 뭔가의 도움을 주어야만 한다는 의무감이 생겨났다.

19세기 독일 초기 낭만주의를 대표하는 화가 카스파르 다비드 프리드리히(Caspar David Friedrich, 1744~1840)의 작품에는 등장인물 대부분이 뒷모습으로 나타난다. 그래서 그는 '뒷모습의 화가'로 불린다. 그의 작품을 접한 사람들은 "뒷모습은 감상자에게 그림 속 인물과 동일한 감정을 느끼게 한다."고 말한다. 정말로 그런 것 같다. 내가 당신의 뒷모습을 바라보고 있을 때 나도 당신에게 감정이입이 되고 말았다.

프랑스 현대 문학의 거장이라는 평가를 받는 미셸 투르니에(Michel Tournier, 1924~2016) 또한 뒷모습에 대한 멋진 통찰을 남겼다. 에두아르 부바(Edouard Boubat, 1923~1999)의 사진을 함께 담은 산문집 『뒷모습』에서 그가 남긴 뒷모습은 철학적 울림이 깊다.

뒤쪽이 진실이다

남자든 여자든
사람은 자신의 얼굴로 표정을 짓고 손짓을 하고
몸짓과 발걸음으로 자신을 표현한다.
모든 것이 다 정면에 나타나 있다.
그렇다면 그 이면은?
뒤쪽은? 등 뒤는?
등은 거짓말을 할 줄 모른다.
너그럽고 솔직하고 용기 있는 사람이
내게 왔다가 돌아서서 가는 모습을 보면서
나는 그것이 겉모습에 불과했었음을
얼마나 여러 번 깨달았던가.
돌아선 그의 등이
그의 인색함, 이중성, 비열함을
역력히 말해주고 있었으니!
…(이하 줄임)

– 미셸 투르니에 『뒷모습』

뿌리 깊은 나무

가슴속의 회오리바람이 멈추지 않았다. 당신에게 무엇인가를 주고 싶은데 마땅히 줄 것이 없었다. 하기야 나는 지금껏 무엇인가 하나라도 만든 적이 없으니 줄 것 없음은 당연한 일이었다.

그러나 곰곰이 생각해 보니 하나는 있었다. 바로 내 마음과 경험이었다. 그것이 당신에게 어떤 의미를 줄 수 있다면 더 이상 바랄 것이 없겠다. 설령 나의 바람대로 되지 못한다고 해도 크게 걱정하지는 않는다. 세상사에는 반면교사(反面敎師)의 의미도 있으니까 말이다.

신독, 자긍심, 경청, 설득, 방향성, 꾸준함, 주도, 독서. 이들 개념에 초점을 맞추었다. 나의 경험 및 지난날에 대한 통렬한 반성에 비추어 볼 때, 인생을 지혜롭게 사는 데 기본이 되는 개념들이라고 판단했기 때문이다. 뿌리 깊은 나무는 바람에 흔들리지 않는다. 당신이 누군가에게 시원한 그늘을 만들어 주는 나무 같은 존재가 되면 좋겠다. 이 도전 가치들이 당신이라는 나무를 든든히 받쳐주는 밑거름과 뿌리가 될 수 있기를 간절히 희망해 본다.

사람들에게 사랑받는 당신을 꿈꾼다

이 책에도 이른바 3다(多)가 들어있다. 아쉽게도 변변치 못한

세가지다.

하나, 시골 이야기가 많다. 실제로 나는 촌스럽다. 시골 출신이기 때문이기도 하겠지만 노력해 봐도 여전히 도회적 감각이 배어들지 못한다. 오죽하면 나의 아내도 "당신, 촌스러움의 끝은 어디에요?"라고 하면서 놀리겠는가? 요즘 다시 보니 시골 밥상이 곧 건강밥상이더라. 건강한 생각이라고 이해해 주길 바란다.

둘, 꼰대소리가 많다. 최대한 젊은 눈높이에 맞추려 했지만 한계가 있다. 하고 싶은 말이 많아지다 보니 어쩔 수 없었다. 거창한 표현이지만 쓴소리가 보약이다. 아주 값싼 보약 한 첩이라고 받아 주길 바란다.

셋, 개인적인 이야기가 많다. 나는 개인적 경험이야말로 가장 설득력이 강한 콘텐츠라고 여긴다. 당신에 대한 애정이라고 생각하라. 당신을 사랑하는 마음이 없다면 굳이 남우세스러운 개인사를 공개적으로 까발릴 이유가 있겠는가? 당신에게 도움이 될 듯해서다.

당신이 착한 영향력을 행사하는 사람이 되면 좋겠다. 당신다움이 인재의 기준이 되면 좋겠다. 많은 사람이 당신을 좋아하면 좋겠다.

사랑한다, 특별한 당신을.

1장. 신독

나는 과연 '신독'할 수 있을까?

"진정한 열정은 아름다운 꽃과 같다.
꽃이 피어난 곳이 척박한 땅일수록
꽃은 더욱 빛을 발하고 소중하다."

-발자크(Honore de Balzac,1799~1850). 소설가.

누가 보지 않아도

카카오톡을 켜면 프로필 사진과 함께 상태메시지라는 것이 보인다. 일반적으로 자신의 현재를 대변하는 의미를 지닌 글귀를 적어놓는다. 또한 누군가에게 보여주고자 하는 의도도 담겨 있다.

어느 날 친구에게 연락이 왔다. 카카오톡 상태메시지에 뭐라도 적어 보라는 것이었다. 그때까지 나는 상태메시지에 아무 말도 쓰지 않고 있었다. 남우세스럽다고 생각했기 때문이다. 친구는 상태메시지가 자기 PR의 유용한 수단이라고 열을 올리며 나를 설득했다. 사실 틀린 말이 아니다. 퍼스널 브랜딩 관점에서 보면 상태메시지는 한 사람의 훌륭한 개인 슬로건 역할을 하는 것이기도 하다.

그런데 나도 뭔가를 적어 보려고 해도 쉽지 않았다. 마치 글을 쓰려고 펜을 들면 막막한 것처럼 말이다. 핸드폰에 저장된 지인들의 상태메시지를 찬찬히 훑어보았다. 자신의 희망사항에서부터 고사성어 그리고 명언에 이르기까지 다양했다.

그즈음에 나는 예상치 못한 주차위반 범칙금 통지서를 하나 받았다. 이태원에 있는 매운 맛으로 유명하다는 냉면집을 찾은 적이 있었는데 주차 시설이 열악했다. 가까이에 있는 공용주차장은 빈자리가 없었고 사설 주차장도 거리가 한참 멀리 떨어져 있었다. 망설이다가 냉면집 앞 도로에 주차했다. 토요일 오후라서 주차단속을 하지 않을 거라는 나만의 편리한 판단을 한 것이다. 너무 안이한 생각이었다. CCTV가 24시간 그 자리를 내려다보고 있다는 사실을 잠시 잊었던 것이다.

누군가 보고 있을 거라는 생각을 왜 하지 못했을까? 주차위반 통지서를 받고 스스로 생각해 보아도 한심했다. 반성이 필요했다. 자연스럽게 카카오톡의 상태메시지를 그러한 방향으로 작성하게 되었다. 이것저것을 놓고 고민하다가 다음과 같은 상태메시지를 선택했다.

"나는 과연 신독(愼獨)할 수 있을까?"

'신독'이라는 키워드를 내세운 내 상태메시지에 대한 지인들의 반응은 예상외로 뜨거웠다. "너 무슨 일이 있는 모양이구나?", "신독이 무슨 뜻이냐?"라는 단순한 물음에서부터 "겸손을 위장한 잘난 척 아니냐?"는 살가운 비아냥(?)까지 다양했다.

이러한 반응이 나온 이유는 내가 뒤늦게나마 상태메시지를 올린 것에 대한 인사치레 성격도 있겠지만 아마도 '신독'이라는 단어가 풍기는 범상치 않은 아우라가 더 크게 작용한 것이라고 생각한다. 신독은 일상에서 흔히 사용하는 단어가 아니거니와 신독의 의미는 '홀로 있을 때에도 도리에 어그러짐이 없도록 몸가

짐을 바로 하고 언행을 삼감'이라고 정의되어 있다. 성인군자에 게나 어울리는 개념이다. 주차위반이나 음주운전 등 소인배 행동을 일삼던 나와는 거리가 먼 단어를 선택했으니, 지인들의 아우성을 이해 못할 바는 아니었다.

디지털 신독

몇 년 전 '디지털'이라는 주제의 어느 조찬 세미나에 참석한 적이 있었다. 디지털 시대에 대한 전망 및 대책 등에 관한 주제의 토론이 이어졌다. 여러 의견이 오고 갔지만, 그중에서도 디지털 시대에 '편리하지만 결코 편안하지는 않은 시대'라는 성격을 부여한 주제가 특히 오래도록 기억에 남았다. 아날로그 시대에 태어나 오른손이 하는 일을 왼손이 모르게 하고도 적당히 살아왔던 지난날들, 한편으로 서류와 문서, 그리고 정보를 얻고 전달하기 위해 발걸음을 부지런히 옮겨 다녀야 했던 시대가 어느 날 클릭 하나만으로 모든 것을 얻게 된 디지털 시대로 바뀌어 감에 따라 그 편리함에 얼마나 환호했던가? 그런데 얻는 것이 있으면 잃는 것이 있는 법이다. 디지털 시대에는 편리함을 얻은 반면에 또한 불안함에 마음을 내어주게 되었다.

어느 정치인은 정치인의 생활을 '어항 속 금붕어처럼 환히 공개된 생활'이라고 표현했다. 디지털 시대인 요즈음에는 정치인만 금붕어 생활이 되는 것이 아니다. 전 국민이 '어항 속의 물고기'와 같은 신세가 되었다. 어항 속의 물고기는 어디로 숨을 수도 없고 무엇을 숨길 수도 없다. 눈 한 번 잘못 깜빡이거나 지느러미 한 번 잘못 흔들면 훤히 드러나는 붕어처럼 우리의 손짓 하나도 온 국민이 아는 데 불과 몇 시간이 걸리지 않는다. 혹여 억울한 사연이 있어 몸부림을 쳐도 디지털은 정교한 거미줄처럼 더욱 옥죌 뿐이다.

디지털 시대를 '사회 구성원 한 사람 한 사람이 24시간 생방송을 하고 있는 사회'라고 규정한 말에 박수를 보내고 싶다. 핸드폰, CCTV, 블랙박스 등으로 중무장한 현대인의 정보역량은 80년대 FBI 요원보다 뛰어나다고 하지 않는가? 모두가 FBI 요원 이상의 정보무기를 가진 이 시대의 우리 일상은 낱낱이 발가벗겨져 이제 내 왼손이 하는 일을 다른 사람의 오른손도 알게 된 형국이다. 사정이 이렇다 보니 오늘 내가 무엇을 먹었는지 아는 것 정도는 식은 죽 먹기이고 몇 달 전에 무엇을 했었는지 아는 것조차 그리 많은 시간이 걸리지 않는다. 그중에서도 휴대폰은 압권이다. 사람들이 서로 특종 하나 잡으려고 혈안이 되어 있는 듯하다. 늘 녹화, 도청의 가능성을 염두에 두어야 한다.

휴대폰은 이제 신체의 일부가 되었다. 그림자처럼 언제 어디서나 우리와 함께하면서 스스로의 정보를 밖으로 유출하기도 하고 한편으로 다른 사람의 정보를 취합하고 있다. 이런 휴대폰은 엄밀히 말해 내 돈 주고 내가 산 내 물건인데도 온전히 내 것이라고 말하기 어렵다. 통제가 되지 않기 때문이다. 어쩌다 작성한 댓글 하나가 무한 복제되어 삽시간에 전 지구인과 공유되는 세상이다. 이쯤 되면 미국 할리우드 여배우의 셀카 사진 유출을 걱정할 게재가 아니다. 특히 아날로그 시대에 태어나 디지털의 편리함을 쫓아 겨우겨우 자판이나 터치패드 정도와 소통하는 나에게 디지털의 기억력과 신속한 정보력은 당혹을 넘어 재앙처럼 느껴지기도 한다. '잊혀질 권리'라는 주장이 고마운 것은 나뿐일까?

구본권은 『당신을 공유하시겠습니까?』에서 다음과 같이 말한다.

"자신에 관한 정보를 스스로 통제하기 위해서는 먼저 프라이버시 권리와 정보사회의 속성을 제대로 알고 있어야 한다. 자신에게 프라이버시 권리가 있는지조차 생각지 않고 미디어에 노출되는 것을 당연하게 여기는 이들도 많다. 다시 한 번 말하지만 법은 권리 위에서 잠자는 자의 이익까지 보호해주지 않는다."

상황이 이렇다 보니 저 높은 경지의 '신독'이야말로 디지털 시대에 나 같은 소인배도 적극적으로 도전해야 하는 필수 가치가 되어 버렸다. 이를 '디지털 신독'이라 하면 너무 오버일까?

낮말은 CCTV가 찍고 밤말은 핸드폰에서 날아다닌다

광고업계는 이미 오래 전부터 투명한 불편함에 직면해 있다.

현대의 소비자는 예전의 수동적인 소비자가 아니다. 이제는 적극적인 소비자 수준을 넘어서 예리한 광고 비평가가 되어 있다. 전문가 영역으로 여겨졌던 광고 제작의 세부적인 표현 요소까지 거침없이 비평받는 실정이다. 광고 모델, 배경음악(BGM), 촬영장소, 의상 그리고 각종 소품 등에 대하여 디테일하게 관심을 가지고 그에 대한 자기 자신의 견해를 적극적으로 밝힌다. 만일 완성된 광고가 미리미리 꼼꼼히 검증하지 않아서 저작권·표절·모방 등의 문제에 휘말리면 광고 제작사는 삽시간에 초상집으로 변한다. 광고 제작이 워낙 숨 가쁘게 진행되는 작업이라서 위와 같은 사례를 원천 봉쇄하기가 어렵다는 점도 엄연한 현실이다. 소비자의 현미경 감시에 걸려 낭패를 경험했던 한 후배의 자조가 디지털 시대의 한 단면을 말해 주고 있다.

"선배님, 세상에는 별별 사람들이 참 많은 것 같아요. 그렇게 세세한 것을 어떻게 발견할 수 있었을까요?"

"낮말은 새가 듣고 밤말은 쥐가 듣는다."고 했던가? 허나 오늘날은 이런 말이 더 적당하지 않을까?

"낮말은 CCTV가 찍고 밤말은 핸드폰에서 날아다닌다."

소비자는 이제 정보를 직접 만드는 것은 물론이고 전파까지 담당한다. 이러한 현상은 물론 긍정적인 측면과 부정적인 측면을 동시에 가지고 있다. 폭발적인 인기를 끌었던 가수 싸이의 〈강남스타일〉 동영상처럼 소비자가 좋아하는 경우에는 더할 나위

없이 좋다. 소비자들이 자발적으로 확대 재생산을 담당하기 때문이다. '싸이 열풍'이라 불렸던 〈강남스타일〉의 성공 이유는 무엇이었을까? 우선 '말춤' 등 중독성 있는 콘텐츠를 꼽을 수 있다. 그런데 실제로 눈여겨보아야 할 점은 콘텐츠의 유통 및 확산 과정에 있다. 유튜브라는 동영상 공유사이트와, 트위터·페이스북 등 소셜네트워크서비스(SNS)가 맹활약을 했다는 것은 주지의 사실이다. 입소문이 또 다른 입소문을 만들어 냈다. 급기야 글로벌 뮤직 비디오로 우뚝 솟아올라 전 세계인의 관심의 중심에 서게 되었다.

  하지만 반대의 경우라면 사태는 너무나 심각하다. 불만족 사항이나 불이익에 대한 이의를 제기하는 소비자는 만족스러워하는 소비자보다 적극적이고 집요한 성향이 있다. 부정적인 내용은 긍정적인 내용보다 전파 속도가 훨씬 빠르다. 순식간에 걷잡을 수 없이 퍼져 나가게 된다. 콘텐츠가 자생력을 띠고서 확산하는 것이 마치 바이러스가 퍼져나가는 것과 같다.

  서울대 심리학과 곽금주 교수는 사람들이 소문을 퍼뜨리는 심리를 두고 " '확실한 얘기는 아닌데….'라고 운을 떼면서도 소문을 옮기는 데에는 상대가 모르는 정보를 알고 있다는 쾌감이 작용한다."고 밝히고 있다. 또한 자신과 직접적인 이해관계가 없는데도 소문을 인터넷에 퍼 나르는 심리에 대해서는 "조회수 댓글 등 주목받고 싶어 하는 욕구가 작용한다."고 지적한 바 있다. 나쁜 소문이나 사건이 좋은 소문이나 사건보다 일파만파 더 빠르게 번져나가는 이유다.

안중근 의사, 보이지 않는 곳에서도 경계하고 삼간다

우연히 안중근 의사(1879~1910)에 관한 유튜브 영상을 보았다. 일본 TV방송국이 제작한 것으로 안중근 의사를 재조명한 다큐멘터리 프로그램이었다. 안 의사에 대한 일본의 시각을 궁금해하면서 프로그램에 집중했다. 결론은 일본인들도 안중근 의사의 위대함을 '인정'한다는 내용이었다. 아래 내용은 그 동영상에서 내레이션 부분을 일부 발췌한 것이다. 여기서 그는 물론 안중근 의사다.

그는 1909년 10월 26일 만주 하얼빈 역에서 이토 히로부미(伊藤博文, 1841~1909)를 암살했다. 그는 체포당할 때에도 도망가려는 기색도 주눅 든 기색도 없었다. "대한독립 만세!"라고만 외쳤다. 그는 마치 암송하듯 거리낌 없이 이토 히로부미의 살해 이유를 당당히 늘어놓기 시작했다. 살해 이유는 15가지에 달했다. 그는 단순한 암살자가 아니었다. 그는 단순한 테러리스트가 아니었다. 그는 언제나 침착한 태도를 보였다. 그리고 그가 입에 담는 말은 동양의 평화였다. 일본은 세계의 주목이 이 남자에게 쏠리는 것을 두려워했다. 그가 누구인지 그 정체를 풀 열쇠는 그의 왼손에 숨겨져 있다. 그는 왼손의 약지 끝을 잘라내어국기에 혈서를 썼다. 단지동맹(斷指同盟)의 혈서다. 공판에서 그는 이렇게 말했다.

"나의 목적은 한국의 독립과 동양 평화의 유지이며 이토를 살해한 것은 개인적인 원한이 아니라 동양의 평화를 위한 것으로, 아직 목적을 달성하지 못하였기 때문에 이토를 죽여도 자살할 생각은 없었다."

일본은 그를 죽이지 않으면 제2, 제3의 안중근이 나올 수 있다는 걸 두려워했다. 그는 최후 진술에서 "나는 한국의 독립 외에 바라는 것은 아무것도 없다."고 말했다. 이것이 그의 마지막 외침이었다. 그는 1910년 3월 26일 32세의 나이로 세상을 떠났다. 한 일본인 간수는 "일본인의 한 사람으로서 사죄하고 싶습니다. 죄송합니다."라고 그에 대한 존경심을 나타냈다. 한 일본인 헌병은 그가 처형된 후 하루도 거르지 않고 그의 명복을 빌었다. 양심의 가책과 죄의식으로 자신을 책망했던 그는 오로지 합장을 계속하는 것으로 남은 인생의 의미를 발견한 것이다. 그에게 받은 깊은 감명을 간직한 채.

영상을 보고 나서 안중근 의사에 대하여 피상적으로만 알고 있었던 나 자신이 부끄러웠다. 속죄하는 차원에서 삼일절을 맞아 남산에 있는 안중근 의사 기념관을 찾았다. 하늘은 구름도 춤출 만큼 맑고 높았지만 꽃샘추위가 여전히 기승을 부리고 있었다. 두터운 겨울 외투도 매섭고 차가운 바람을 막지는 못했다. 서울의 거리를 대한독립 만세의 함성과 태극기로 뒤덮었을 그날의 기세와는 다르게 쌀쌀한 날씨만큼 휑한 거리에 태극기가 띄엄띄엄 펄럭이고 있었다. 기념관에 도착해 보니 대부분이 가족 관람객들이었다. 주로 유치원생, 초등학교 학생들이 엄마, 아빠와 함께 안중근 의사를 찾아왔다. 예상보다 많은 관람객 때문에 내 마음도 한껏 고무되었다. 그러나 그 기분 좋은 마음도 잠시뿐이었다. "삼일절이나 광복절에만 반짝하고 평소에는 관람객 숫자가 매우 적다."는 안내자의 말에 부끄러움과 함께 어깨가 축 처지고 말았다.

기념관 전시실에는 안중근 의사의 출생부터 사망에 이르기까지 전 생애가 전시되어 있었다. 그 내용을 살펴보면 볼수록 그는 진정한 민족의 영웅이었다. 다양한 기획 전시를 하고 있는 기획전시실에는 안 의사의 옥중 유묵 일부를 전시하고 있었다. 안 의사는 옥중에서 200여 점의 유묵을 남겼다고 한다. 그중에서 26점의 유묵은 보물 제569호로 지정되어 있는데 그 전시된 유묵 가운데 유독 나의 눈길을 끈 유묵이 하나 있었다.

바로 '戒愼乎其所不睹(계신호기소부도)'였다. 중용에 나오는

"군자는 그 보이지 않는 곳에서도 경계하고 삼간다."는 글귀였다. 바로 눈앞에서 신독을 만났다.

'대한민국 독립'을 위해 가족과 청춘을, 그리고 목숨까지 내던진 안중근 의사의 위대한 힘이 저 글귀에서 나오지 않았을까? 먹먹한 가슴을 안고 남산의 계단을 내려왔다.

그는 철저하게 신독형 인간이었다. 자기 존재의 모든 것을 스스로 책임지는 사람이었다.

하늘을 우러러 한 점 부끄럼 없기를

종로구 청운동에는 '윤동주 문학관'이 있다. 인터넷을 검색하여 경복궁역 3번 출구로 나와서 자하문 터널 방향으로 약 30분 정도 가면 있다는 정보를 확인하고 집을 나섰다. 구름 한 점 없는 맑고 푸른 가을 하늘. 마치 청정 호수를 하늘에다 붙여놓은 것 같은 착각이 들었다. 정말 오랜만에 느껴보는 가을 하늘의 진수였다.

초행길 여행객에게 갈림길은 곤혹스럽다. 자하문 터널 방향과 주택가 방향에서 고민하다가 핸드폰을 꺼내어 지도를 탐색하려 하는데 60대 미화원 한 분이 나타났다. 형광색 야광 작업복이 오후 2시의 가을 햇살에 빛나고 있었다. 얼굴에 땀이 가득한 그 분에게 어디로 가야 하는지 물었다.

"저~, 윤동주 문학관 가려면….."

질문을 다하기도 전에 마치 기다렸다는 듯이 전광석화 같은 응답이 돌아왔다.
"그냥 쭈욱 가셔요."
그동안 얼마나 많은 사람이 물었던 질문이었을까? 또 그는 얼마나 오랜 시간 이 길을 지켜 왔을까?

윤동주 문학관은 생각보다 작고 서러웠다. 인왕산 자락에 버려져 있던 청운 수도가압장과 물탱크를 개조해서 만든 곳이라고 한다. 제1전시실에는 육필 원고와 사진들이 전시되어 있었다. 육필 원고가 머리를 쭝긋하게 하는 강렬한 자극으로 다가왔다. 감정이입, 공간이입, 시간이입을 해보았다. 윤동주의 그때 그곳, 그 생각지점으로 말이다.
"야~, 글씨가 예쁘다. 여자 글씨 같아."
"와~, 얼짱이다!"
잎새에 이는 바람결에도 조국의 숨결을 느끼고, 너무도 맑아서 위태로운 가을 하늘 티끌 하나에도 부끄러움을 느꼈을 윤동주를 만나고 있는데 저 옆에서 50대쯤으로 보이는 3명의 아주머니와 여고생 2명의 속삭임이 철없어 보였다.

제3전시실에서는 윤동주 일대기가 상영되고 있었다. 약 10분 정도 분량인데 윤동주의 모든 것이 가슴으로 머리로 전달되어

왔다.

"참 슬프지 않니? 훌륭한 시인의 죽음이 말이야…일본놈들… 하늘을 우러러 한 점 부끄럼이 없는 그분을…."

초등학생 딸아이를 데려온 아빠의 말이 어둠 속에서 들려 왔다. 그 순간 나에게 떠오른 단어가 하나 있었으니 바로 '신독'이었다.

'하늘을 우러러 한 점 부끄럼 없는'

그 소녀의 표정을 보면서 그 소녀가 이다음에 시인이 될 것 같다는 예감이 들었다. 나이 50대 중반에 이곳을 찾은 나도 일 순간 시심이 충만해지는데, 그 소녀는 분명 이 가을의 청명함과 함께 윤동주의 시적 감수성을 가슴 가득히 담아갔을 것이다. 별 하나를 보고 어찌 저런 생각과 마음을 가졌는지를 그 소녀는 머지않아 깨닫고 뒹구는 낙엽 하나에서도 이야기를 들어볼 것이다. 그리고 이 예쁘고도 가슴 저미는 작은 공간의 존재를 감사하게 생각할 것이다.

문학관 위쪽으로는 '시인의 언덕'이 있다. 창의문 맞은편 길로 난 나무계단을 따라 조금만 오르면 된다. 서울성곽의 모습도 정겹다. 〈서시〉를 새긴 자그만 시비가 이곳이 윤동주 시인의 언덕임을 알려주고 있다. 이곳에 오기를 참 잘했다는 마음이 드는 것은 윤동주와의 만남과 더불어 아름다운 주변 경관도 한몫했다. 도성 길을 따라 바라볼 수 있는 서울의 모습은 한 폭의 명화 같았다. 10월 초 토요일 오후 내 눈의 CC카메라에 그렇게 또 하나의 '신독'이 녹화되었다.

뼈아픈 신독 회초리

〈사람이야기〉. 내가 운영 중인 블로그의 카테고리 주제 가운데 하나다. 당연히 내가 본받고 싶은 사람들에 대한 이야기다. 가까운 이웃에서부터 동서고금의 위인까지 다양하다. 어느 날 철학자 임마누엘 칸트(Immanuel Kant, 1724~1804)를 포스팅하는데 다음과 같은 종교와 도덕에 관한 그의 명언을 만났다.

"오직 거룩하고 깨끗하게 생활하는 사람만이 신을 기쁘게 할 수 있다. 남들의 눈에 띄게 겉으로만 신을 충실하게 섬기는 사람은 옳지 못하고 자신을 치욕스럽게 만드는 것이며 나아가 큰 거짓을 행하는 것이고 신에게 그릇 봉사하는 것이다."

'이런 좋은 말을 미리 알았더라면 얼마나 좋았을까?' 뒤늦은 후회를 했다. 초등학교 4학년 때의 일인데도 아직 기억에 생생하다. 이삭줍기 숙제가 떨어졌다. 요즘 세대 사람들에게는 상상이 안 되는 숙제일 것이나, 내가 어린 시절에는 가을 수확이 끝나면 이삭을 줍기 위하여 논이나 밭으로 돌아다니는 아이들의 모습은 흔한 광경이었다. 어렸을 적 나는 왜 이삭줍기 숙제를 내주는지 이해하지 못했다. 그냥 제출해야 할 숙제일 따름이었다. 제때 이삭을 제출하지 못한 학생은 육성회비를 내지 못한 친구들 이름과 함께 교실 앞 칠판에 이름이 올랐다. 그래서 그 숙제가 싫었다.

　몇날 며칠 들판을 쏘다녔지만 목표량만큼의 이삭을 채울 수 없었다. 궁하면 통한다고 했던가? 교실 뒤쪽 구석에 놓여 있는 항아리가 생각났다. 그 항아리에는 미리 제출한 이삭이 보관되어 있었다. 나는 그것을 남몰래 퍼서 숙제로 제출하기로 마음먹었다. 허나 그 거사를 어떻게 실행으로 옮기느냐는 꽤 어려운 문제였다.
　당시 우리 식구는 학교 사택에서 살고 있었다. 사택이 학교 운동장과 담 하나만을 접하고 있어서 교실을 안방처럼 쉽게 드나들 수 있었다. 운명의 날이 왔다. 평소보다 아침 일찍 일어난 나는 소사(현 주무관) 아저씨가 교실 문을 열어 놓은 것을 확인한 후 한 마리 도둑고양이가 되었다. 적당량의 이삭을 퍼담아 왔다. 초등학교 4학년의 생각으로는 완벽하게 성공한 거사였다. 그런데 나의 이런 철부지 행동을 담임 선생님이 알아버렸다. 어떻게 선생님이 알게 되었는지는 지금도 정확히 모르겠다. 그 당시는 CCTV가 있었던 때도 아닌데 말이다. 혹 소사 아저씨나 숙직 선생님이 보셨을까? 아무튼 이삭줍기라는 곤란한 숙제에서 벗어났다는 해방감에 잠시 취해 있었다. 그런데 홀가분한 기분이 채 가시기도 전에 예기치 못한 시련이 닥쳐왔다. 종례 시간에 담임 선생님의 얼굴 표정이 굳어 있었다. 느닷없이 '정직'에 관한 이야기를 하는 것이었다. 그러더니 뒤이어 더 기가 막히는 말을 하는 것이 아니겠는가. 이삭줍기 숙제에 관한 이야기였다. 들에서 직접 이삭을 주워오지 않은 사람이 있다고 했다. 집에서 몰래 퍼오거나 돈으로 사오거나 또는 다른 나쁜 방법을 사용해서 이삭줍기 과제를 한다는 것이었다.

　선생님은 양심에 어긋나는 이삭줍기를 한 사람은 손을 들라고 하면서 선생님의 오른손을 들어 보였다. 그러면서 모두 눈을 감으라고 했다. 한 사람이라도 눈을 뜨면 단체 기합을 준다는 말에 분위기는 얼음처럼 꽁꽁 얼어붙었다. 그러면서도 한편으로 정직하게 손을 들면 모든 것을 용서해 주겠다는 부드러운 말씀도 하셨다. 긴 침묵의 시간이 한참 동안 계속되었다. 등에서 식은땀이 흘렀다. 머릿속이 새하얗게 비워졌고 정신이 혼미할 지경이었다.
　'손을 들까?…누가 보지는 않을까?…그래도, 들어야지. 아….'
　결국 나는 손을 들지 못했고, 선생님의 말씀이 이어졌다.
　"여러분에게 대단히 실망했다. 끝까지 스스로 반성의 기회를 가져라."
　선생님의 말씀 한마디 한마디가 모두 내게 하는 말임을 알 수 있었다. 그날 이후로 나는 선생님 얼굴을 제대로 쳐다볼 수 없었다. 선생님은 내가 스스로 잘못을 깨닫게 하려고 기회를 주신 것이었다. 그러나 나는 어리석고 용기없는 아이일 뿐이었다.

시련은 거기서 끝나지 않았다. 담임 선생님께서 '사건의 전모'를 아버지에게 알렸던 것이다. 며칠 후 아버지가 나를 불렀다. 벼 이삭 사건 전모에 대하여 말해 보라고 했다. 이실직고했다. 교실에서 이삭을 퍼간 사실, 손을 들지 못한 사실을 모두 말했다. 아버지는 늘 인자하고 관대하신 분이었다.

그러나 그날의 아버지는 무서울 정도로 차가웠다. 다시는 그러지 말라는 엄중한 말과 함께 벌을 받아야 하니 종아리를 걷으라고 했다. 기억으로는 30대 정도 맞은 것 같다. 얼마나 많이 울었는지 모른다. 매 맞은 아픔보다 선생님과 아버지에게 실망감을 준 것이 속상했던 것 같다.

이 나이가 되어 보니 그것은 신독의 가르침이었다.

양심 좌석과 양심 냉장고

전철을 탈 때마다 임산부 배려석이 눈길을 끈다. 좌석과 등받이 그리고 바닥까지 '분홍색'을 칠해 부드러운 여성스러움을 강조하였고, 엠블럼은 분홍색 바탕에 허리를 짚고 있는 임신한 여성을 형상화한 그림문자를 넣어서 임산부임을 쉽게 알아볼 수 있게 디자인했다. 바닥에 쓰인 "내일의 주인공을 위한 자리입니다."라는 문구에서도 배려와 희망이 읽힌다.

나는 가끔 이런 생각을 하곤 했다.

만일 나 혼자 서 있는데 앞에 있는 임산부 배려석 한 자리만 빈 좌석으로 남아 있는 상황이 생기면 그때는 앉아야 하나? 아니면 혼자 계속 서서 가야 하나?

　어느 날 심한 감기 몸살로 평소보다 일찍 퇴근을 하는 길인데 이게 웬일인가? '만약에~' 하는 상황이 실제로 내 눈앞에 벌어진 것이다. 빈 자리라고는 그 임산부 배려석 딱 한자리뿐이었다. 물론 서 있는 사람도 나 혼자였다. 나는 잠깐 망설이다가 '빈 좌석인데 뭐 어때.' 하며 스스로 합리화를 하고 임산부 배려석에 앉았다. 곧 눈을 감고 자는 척하며 편안함을 만끽하고 있었는데 두 역쯤 지났을까, 내 앞에 인기척이 느껴져 살며시 눈을 떴더니 젊은 여자가 서 있는 게 아닌가? 임산부인 것 같기도 하고 약간 몸집이 통통한 아가씨인 것 같기도 했다. 임산부이겠거니 하고 자리를 양보하고 일어서려는 순간 쓸데없는 고민이 생겼다. 자리에 앉아 순간적으로 다음 네 가지 경우의 수를 생각했다.

　1) 임산부다. 당연히 자리를 양보한다.
　2) 임산부다. 자리를 양보하지 않는다.
　3) 임산부가 아니다. 그러나 매너 있게 자리를 양보한다.
　4) 임산부가 아니다. 내가 피곤하니 자리를 양보하지 않는다.

　첫 번째의 경우처럼 자리를 양보해 주었는데 다행히 임산부였다면 최상의 경우일 것이다. 겸연쩍지만 그래도 자연스러울 것이다. 나는 자리를 양보해 주는 매너 있는 중년 남성의 모습으로 비춰질 것이다.

두 번째는 최악의 경우다. 임산부인 그녀는 나를 원망스러운 눈초리로 째려볼 것이고 두고두고 욕할 것이다. 집에 가서 신랑이나 친정어머니에게 나의 만행에 대하여 낱낱이 보고할 것이다. 어쩌면 서울시에 민원을 넣을지도 모른다. 핑크카펫이 본래의 취지대로 사용되지 않고 있는 현장의 내 모습을 몰염치한 좌석 점유 사건의 장본인으로 사진까지 첨부하면서 말이다.

세 번째는 그 여성이 사실은 임산부가 아닌데 내가 임산부로 판단하여 자리를 양보하는 경우다. 그 여성은 곤혹스러워 할 것이다. 체형에 대하여 실망하는 계기가 될 수도 있다. '나를 임산부로 생각하다니….' 하면서 말이다. 이 경우는 본의 아니게 그 여성에게 상처를 줄 수도 있을 것이다. 그렇다고 "임산부시죠?" 이렇게 물어볼 수도 없는 것 아닌가?

마지막은 그 여성이 실제로 임산부도 아니고 나 또한 그렇게 판단하여 자리를 양보하지 않는 경우다. 이 경우는 그냥 '뻔뻔한 아저씨구나.'라는 정도의 평가를 받을 것이고 아직도 핑크카펫에 대한 홍보가 부족하거나 알고 있다고 해도 실행이 되지 않고 있다는 개탄의 목소리를 들을 것이다.

내가 이런 쓸데없는 고민을 하고 있다는 사실을 눈치챘는지 아닌지는 모르겠으나 그 여성은 전철역 몇 개를 지나고 나서 하차했다. 나는 불행 중 다행이라고 생각하고 계속 임산부 배려석 자리를 지켰다. 눈을 꾹 감고서 자는 척하다가 도착역에 내려서야 그날의 뒤숭숭함에서 벗어날 수 있었다.

"길이 아니면 가지 말라."고 공자(孔子, B.C. 551~479)께서 말씀하지 않았던가? 나는 그날 애초부터 핑크카펫에 앉질 말았어야 했다. 그곳은 비록 자리가 비워져 있었다고 해도 배려석으로 남겨 두었어야 했다. "남자의 자리가 아니니 앉지를 말라."는 단순한 교훈을 다시금 되새기게 된 경험이었다. 혹시나 하면 역시나 하는 것이다. 슬쩍 앉은 자리가 그렇게 진땀을 빼는 퇴근길이 되리라고는 상상을 못했다. 그 일이 있은 후부터 나는 핑크카펫 근처에는 얼씬도 하지 않고 있다. 지킬 것은 지키는 것, 바로 신독의 실천이다.

꽤 오래 전에 '양심 냉장고'가 화제가 된 적이 있다. 몰래카메라 형식을 빌려 양심적인 행동을 하는 사람들에게 냉장고를 선물로 주는 프로그램 때문이다.

캄캄한 일요일 새벽, 몰래카메라가 도로 정지선을 지켜보고 있다. 오고 가는 차량들이 교통신호를 얼마나 잘 지키는지 엿보는 것이다. 대부분의 차량들이 빨간불, 파란불을 무시하고 그냥 씽씽 달려 지나간다. 그러던 중에 어느 소형차 하나가 신호에 맞추어 정지선에 다가가서 반듯하게 멈추어 선다. 이른바 양심이 모습을 드러낸 것이다. 프로그램 제작진들이 흥분해서 달려가 묻는다.

"보는 사람도 없고 지나가는 사람도 없어 신호를 무시하고 그냥 갈 수도 있었을 텐데 왜 굳이 멈춰 섰습니까?"

그때 그 양심 주인공의 말이 인상적이다.

"저…는…늘…지켜요."

대답은 간결했지만 어렵게 전달되었다. 그들은 말을 제대로 하지 못하는 뇌성마비 장애인 부부였다.

상식을 강조하면 코미디라는 말이 있다. 응당 지켜야 할 것을 지킨 것뿐인데 냉장고라는 그 당시에는 대단히 귀한 상을 주다니 말이다. 우리의 양심 수준을 그대로 나타내주는 것 같아서 많은 사람에게 감동과 낯 뜨거움을 동시에 느끼게 해준 사례였다.

언제부터인지 "CCTV는 당신이 한 일을 알고 있다."라는 영화 패러디 문장을 그냥 웃고 넘길 수 없게 되었다. 소셜네트워크서비스(SNS)의 위력을 새삼 강조할 필요는 없다. 말과 글, 사진과 동영상이 인터넷 세상을 떠돌아다니고 있다.

이제 우리는 거짓으로 위장할 수 없는 세상에 살고 있다. 결국, 양심적인 삶을 연습한 사람만이 경쟁력 있게 살 수 있게 된 것이다. 살아왔던 삶의 족적이 쉽게 노출되어 더 이상 거짓은 용납되지 않는다. 거짓말은 잠시의 위기를 모면하게 할지 모르지만 결국에는 더 깊은 구렁으로 끌고 들어간다.

정직하지 않게 부와 명예를 움켜쥐는 사람을 보고 한때는 부러워한 적도 있다. 그러나 수천억 원의 재산을 지닌 경영인, 방구 좀 뀐다는 정치인이나 고위층 공무원, 한때 나라의 최고 지도자를 지낸 전직 대통령 등 성공했다고 알려진 사람들 중에서

한 순간에 나락으로 떨어지는 사람들을 많이 보면서 그것은 어디까지나 순간적이고 단기적일 뿐이라는 것을 깨달았다. 손바닥으로 하늘이 가려지겠는가?

"사는 것이 문제가 아니라 바르게 사는 것이 중요한 문제다."라는 소크라테스(Socrates, B.C. 470~399)의 말처럼 양심이 곧 재산이다. 양심은 신용이라는 이자와 함께 꼬박꼬박 저축이 되어 평생을 걸쳐서, 아니 대를 이어 소멸하지 않는 재산이 된다. 이 모든 것을 관통하는 한마디가 '신독'이다.

신독의 삶은 양심의 삶이다. 반면에 대단히 무거운 삶이기도 하다. 솔직히 말하면 나도 큰 걱정을 하고 있다. 이러한 글을 남기는 것이 얼마나 큰 책임을 수반할 것인지에 대하여 잘 알고 있기 때문이다. 그러나 이를 계기로 변화해야만 한다고 다짐했다. 아무리 큰 부담이 따를지라도 지킬 것은 지켜야 한다. 궁극적으로 정도의 길을 가는 것이 행복의 길이기 때문이다.

"문제는 경제야, 바보야(It's the economy, stupid)."가 아니다. 이제 "문제는 신독이야."로 대체해야 한다. 당신도 신독이라는 멋진(?) 고행의 길을 걸어가라. 『수상록』으로 유명한 몽테뉴(Montaigne, Michel De, 1533~1592)도 다음과 같은 말을 남겼다.

"혼자 있을 때에도 부끄럽지 않게 행동하는 것이야말로 최상의 생활이다."

이보다 멋지고 당당한 삶이 어디 있겠는가?

스스로 경계하라 - 율곡의 자경문, 나의 자경문

율곡 이이(1536~1584)는 많은 사람으로 하여금 질투심을 느끼게 하는 사람이었다. 우선 공부를 잘했다. 13세 때 이미 진사 초시에 급제하고 29세 때 대과 장원급제를 포함해서 이후 9번이나 장원을 차지해서 '구도장원공'이라는 별명을 얻기도 했다. 효성 또한 지극했다. 어머니인 신사임당에 대한 효성은 말할 것도 없고 계모에게도 지극 정성의 효자로 알려져 있다. 율곡이 먼저 세상을 뜨자 그의 계모는 그 고마움에 답하기 위해서 3년 동안 상복을 입었다고 전해지고 있다. 게다가 율곡은 소신도 뚜렷했다. 만언봉사, 십만양병설은 우리에게 친숙하다. 역사는 그를 대학자, 정치가, 교육자로 기록하고 있다.

율곡에게서 또 한 가지 빼놓을 수 없는 것이 자경문(自警文)이다. 자경문은 글자 뜻 그대로 스스로 경계하는 항목을 정해 놓은 글인데 총 11가지 항목으로 구성되어 있다. 어머니 신사임당을 여읜 후에 그 상심을 극복하고 새 출발을 다짐하고자 함이었다. 그의 나이 20세 되던 해였다. 율곡이 역사에 남은 큰 인물이 되는 데 이 자경문이 큰 역할을 했을 것이다. 지금 나의 눈으로 보면 이 자경문은 마치 '신독 실천 지침서' 같다. 그래서 나는 율곡에게 덧붙인다. 그는 대학자, 정치가, 교육가이면서 동시에 '신독 실천가'라고 말이다.

차제에, 비록 평범하기 그지없는 50대 중년의 삶을 사는 나도 지금이라도 '자경문'을 실천해 보려고 한다. 율곡처럼 20대에 자경문을 적어두고 실천했더라면 더 좋았겠지만 이제라도 이러한 결심을 한 것이 다행스럽다고 생각한다. 율곡 선생과는 하늘과 땅 차이라 우리가 율곡처럼 할 수는 없겠지만, 그의 자경문을 인용하고 내 나름의 자경문을 만들어 간다면 나름의 의미는 있지 않을까? 다시 20세로 되돌아갈 수는 없지만 20세처럼 생각하고 사는 것도 괜찮을 것 같다.

1. 입지(立志)
• **율곡의 입지** : 먼저 그 뜻을 크게 가져 '성인(완전한 존재)'으로서 표준을 삼아 털끝만큼이라도 성인에 미치지 못한 동안은 내 할 일이 끝난 것이 아니니라.

• **나의 입지** : '작가'가 된다. 그러기 위해서 읽기, 쓰기, 생각하기를 생활화한다.

2. 과언(寡言)
• **율곡의 과언** : 마음이 안정된 사람은 말이 적다. 그러므로 마음을 안정하는 것은 말이 적은 데서부터 비롯하느니라. 말할만한 때가 된 다음에 말을 한다면 그 말이 간략하지 않을 수 없느니라.

• **나의 과언** : '선행후언(先行後言)'한다. 먼저 행하고 뒤에

말하는 자세를 가지면 말실수가 줄어든다. '역지사지(易地思之)' 한다. 입장 바꾸어서 말하면 말실수가 줄어든다.

3. 정심(定心)
• **율곡의 정심** : 오래도록 놓아버렸던 마음을 하루아침에 거두어서 힘을 얻는다는 것이 어찌 쉬운 일이겠느냐. 마음이란 산 것이라. 안정된 힘이 이뤄지지 못하면 흔들려서 편안키 어려우니라. 만일 생각이 어지러울 적에 그게 귀찮아 마음먹고 끊어버리려고 한다면 점점 그 어지러운 생각이 일어났다 꺼졌다 하며 제 마음대로 되지 않는 것 같음을 알리라. 설혹 그것을 끊어버린다 하더라도 다만 그 끊어버렸다는 생각이 가슴속에 가로놓여 있다면 그 또한 허망한 생각이니라. 그러므로 마땅히 생각이 어지러울 때에 있어서는 정신을 가다듬어 가만가만 다룰 것이요, 그 생각에 이같이 애쓰기를 오랫동안 하노라면 반드시 차분히 안정되는 때가 있을 것이니, 무슨 일을 하든지 전심전력으로 한다면 그 또한 마음을 안정시키는 공부가 되느니라.

• **나의 정심** : 붓글씨를 쓴다. 붓글씨는 집중력, 인내심 향상에 도움을 준다.

4. 근독(謹獨)
• **율곡의 근독**: 언제나 조심스레 경계하고 혼자 있을 때에 삼가는 뜻을 가슴속에 품은 채 시시각각 게으르지 아니하면, 모든

삿된 생각이 저절로 일어나지 못하리라. 만 가지 악이 모두 다혼자 있을 때에 삼가지 않는 데서 생겨나느니라. 혼자 있을 때삼갈 줄 안 다음에야 참으로 저 자연을 사랑하며 즐길 수 있는고상한 뜻을 알 수 있느니라.

• **나의 근독**: 나의 양심을 믿고 실천한다.

5. 독서(讀書)
• **율곡의 독서** : 새벽에 일어나서는 아침에 해야 할 일을 생각하고, 밥 먹은 뒤에는 낮에 할 일을 생각하고, 잠자리에 들어서는 내일 해야 할 일을 생각할지니, 만일 일이 없으면 그만두려니와 일이 있으면 반드시 적절하게 처리할 방법을 생각해낸다음에 글을 읽을지니라. 글을 읽는다는 것은 옳고 그름을 분간해서 실천에 옮기려 하는 것이니 만일 사물을 살피지 않고 똑바로 앉아서 글만 읽는다면 쓸모없는 학문이 되느니라.

• **나의 독서** : 분기 1회 다산 생가를 방문하여 다산의 생각을느껴본다. 실천의지를 높인다.

6. 소제욕심(掃除慾心)
• **율곡의 소제욕심** : 재물, 영예, 그건 설사 그 생각을 쓸어버릴 수 있다 하더라도 만일 일을 처리할 적에 털끝만큼이라도 편리한 것을 택할 생각을 가진다면 그 또한 이익을 탐하는 마음이

니 더욱 살펴야 할지니라.

- **나의 소제욕심** : 나의 양심을 믿고 실천한다.

7. 진성(盡誠)
- **율곡의 진성** : 무릇 일이 나에게 이르렀을 때에 만약 해야 할 일이라면 정성을 다해서 그 일을 하고, 싫어하거나 게으름을 피울 생각을 해서는 안 되며 만약 해서는 안 될 일이라면 일체 끊어버려서 내 가슴속에서 옳으니 그르니 하는 마음이 서로 다투게 해서는 안 된다.

- **나의 진성** : '일기일회(一期一會)'의 마음을 지니고 실천한다.

8. 정의지심(正義之心)
- **율곡의 정의지심** : 항상 "한 가지 불의를 행하고 한 사람의 무고한 사람을 죽여서 천하를 얻더라도 그런 일은 하지 않는다."는 생각을 가슴속에 담고 있어야 한다. 천하를 얻더라도 불의를 얻어서는 안 된다.

- **나의 정의지심** : 나의 양심을 믿고 실천한다.

9. 감화(感化)
- **율곡의 감화** : 어떤 사람이 나에게 이치에 맞지 않는 악행을

가해오면, 나는 스스로 돌이켜 자신을 깊이 반성해야 하며 그를 감화시키려고 해야 한다. 한 집안 사람들이 (선행을 하는 쪽으로) 변화하지 아니함은 단지 나의 성의가 미진하기 때문이다.

• 나의 감화 : '과하지욕(跨下之辱)'의 의미를 곱씹어 실천한다.

---

10. 수면(睡眠)

• 율곡의 수면 : 밤에 잘 때나 아픈 때가 아니면 눕지 않아야 하고 비스듬히 기대지도 말 것이며 또 밤중일지라도 졸리는 생각이 없으면 눕지 말되, 다만 억지로 할 것은 아니니라. 그리고 낮에 졸음이 오면 마땅히 정신을 차려 바짝 깨우칠 것이요, 그래도 눈꺼풀이 무겁거든 일어나서 두루 거닐어 깨도록 할지니라.

• 나의 수면 : 6시간 숙면하고 깨어 있을 때 집중한다.

11. 용공지효(用功之效)

• 율곡의 용공지효 : 공부에 힘쓰되 늦추지도 말고 보채지도 말며, 죽은 뒤에야 그만둘 것이니, 만일 그 효과가 빨리 나기를 구한다면 그 또한 이익 탐하는 마음이니라. 만일 이같이 아니하면 어버이에게서 물려받은 몸뚱이를 욕되게 함이라. 그게 바로 사람의 아들 된 도리가 아니니라.

• 나의 용공지효 : '평생공부'를 나의 핵심 노후전략으로 삼아

서 실천한다.

당신의 자경문은 무엇으로 채울 것인가.

2장. 자긍심

자체 발광 존재감

"자신이 의식하든 의식하지 않든 간에
자기 자신이 아닌 상태 이상으로 부끄러운 것이 없
다. 또한 자기 자신의 것을 생각하고 느끼고 말하는
것 이상으로 긍지와 행복을 느끼는 것은 없다."

-에리히 프롬(Erich Pinchas Fromm, 1900~1980).

존재감

대선배의 갑작스런 본인상(本人喪)이 생겨서 부랴부랴 빈소를 찾았다. 그런데 상가 분위기가 예상 밖으로 썰렁해서 매우 놀랐다. 그 선배는 살아생전에 말 그대로 존재감 그 자체였다. 우선 말솜씨가 무척 좋았다. 청산유수의 달변이었으며 옥구슬이 흐른다는 평을 받았다. 비유의 달인이라는 말도 들었다. 행동 또한 당당했다. 무엇보다도 말과 행동이 같았다. 사람들은 그 점에 대하여 가장 높은 점수를 주었다. 전체적으로 묵직한 카리스마가 있었다. 브랜드로 치면 매력적인 빅 브랜드다.

물론 내가 알고 있던 선배의 모습이 선배의 전부가 아닐 수 있다. 진정한 자신의 모습을 숨겼을지도 모르기 때문이다. 또한 선배의 존재감이 다분히 외적인 조건 때문일 수도 있었을 것이다. 선배는 무엇보다도 재산이 많았다. 사람들이 그 선배를 평가한 기준이 무엇이었을까 궁금했다. 돈과 같은 물질적인 측면을 기준으로 평가했던 것인가? 아니면 선배의 사람 됨됨이를 가지고 평가했던 것인가? 그 어떤 기준으로 선배를 평가했다고 해도 이렇듯 건조한 상가 분위기는 이해가 되지 않았다. 답답한 마음에 동행한 선배에게 상가 분위기가 왜 이러냐고 물었다. 그 선배가 대답했다.
"옛말에도 있어. '정승 집의 개가 죽으면 문전성시를 이루고 정작 정승이 죽으면 개 한 마리 얼씬거리지 않는다.'고."

토요일 오후 혼자 TV를 보고 있었다. 학원에서 막 돌아온 아들 녀석이 가방을 소파에 던져놓고는 나를 딱 보더니 "어! 아무도 없어요?"라고 말하는 것이었다. 뒤통수를 한 대 맞은 것 같은 느낌을 받았다.

'어라, 이놈 봐라? 아무도 없다니, 여기 엄연히 아빠가 있는데 왜 아무도 없다고 하는가.'

잠시 후 초인종이 울렸다. 세탁소 주인 아주머니였다. 그 아주머니도 나를 딱 보자마자 주변을 두리번거리더니 "아무도 안 계시나 봐요?"라고 말하는 것이다. 혼자 중얼거렸다.

'아무도 없다니 무슨 그런 서운한 말씀을. 여기 집주인이 있는데. 제가 바로 집주인입니다.'

아들이나 세탁소 아주머니에게 왜 나는 보이지 않는가. 왜 나는 투명인간이 되었는가. 나의 그 희미한 존재감에 씁쓸해했던 기억이 있다. 위와 같은 일이 있기 얼마 전에 서울대 생활과학대학 소비자학과 김난도 교수도 강연 중에 엄마 신드롬의 확산을 거론하면서 나와 거의 똑같은 자신의 경험담을 이야기한 적이 있었다. 당시 많은 사람이 아빠 혹은 남편의 희미한 존재감에 웃음과 박수로 공감을 표시했지만 나에게만큼은 '해당 없음'이라고 착각했었다.

새삼 존재감에 대하여 생각해 본다. 가수 김종환은 그의 노래 〈존재의 이유〉에서 "네가 있다는 것이 나를 존재하게 해."라며 존재 이유를 알리고 있다. 욕심부리지 말고 노래에서 말하는 그 정도의 존재감에서 머무를 수 있다면 좋겠다. 그런데 어디 그 정도에 만족할 수 있는가. 존재는 기본이고 존재감까지 얻고 싶어서 발버둥 치고 있는 것은 아닌지 모르겠다. 사람들은 자신의 삶 속에서 존재감을 인정받고 있다고 느낄 때 행복해하고, 존재감 없음에 힘겨워한다. 나 역시 마찬가지다. 당신 또한 나의 경우와 다르지 않을 것이다. 우리 인간은 사회적 동물이기 때문이다.

 '와이프 보이'와 '드라저씨'라는 신조어가 주목을 끈 적이 있다. 물론 지금도 그러한 신조어가 나오게 된 당시와 크게 달라진 것은 없다. 아니 오히려 심화되고 있다는 표현이 더 적절하다. 와이프 보이는 사회적으로 인정받고 있고 대인관계도 왕성하게 하는데 유독 아내에게만 무력한 남자들을 말한다. 그냥 웃고 넘길 일만은 아닌 것 같다. 경제권 등 가정의 주도권이 여성으로 넘어간 것은 이미 오래 전의 일이다.
 또한 드라마에 빠져 사극은 물론 10대들이 즐겨 보는 트렌드 드라마까지 섭렵하는 중년 남성을 '드라저씨'라고 일컫는다. '와이프 보이'처럼 존재감이 희미해져 가는 중년 남성들이 드라마 속 남자 주인공을 통해 대리만족을 느끼는 현상이라는 분석이다. 이 두 가지 신조어는 꼭 나를 두고 하는 말 같아서 묘한 기분을 감출 수 없다. 많은 중년 남성들도 '와이프 보이'와 '드라저씨'라는 말에 공감하리라 생각된다.

그렇다고 희미한 존재감에 대한 고민이 중년 남성들만의 전유물은 아니다. '미친 존재감'이라는 젊은이의 단어 역시 '결핍에 따른 보상심리'가 만들어낸 유행어다. 미친 존재감은 주연이 아닌데도 불구하고 주연 이상의 존재감을 나타내는 것을 말한다. 현실적으로 매우 어려운 일이다. 짧은 시간에 강한 인상을 만들어내야 하니까. 미친 존재감을 탄생시킨 원조 미친 존재감 메이커들이 언론이나 대중으로부터 찬사를 받는 이유다. 미친 존재감은 곧 최고의 존재감이라는 말로 쓰인다.

우리 사회에 미친 존재감이 많이 탄생하면 좋겠다. 미친 존재감은 "개천에서 용이 난다."는 말과 비슷한 뉘앙스를 가진다. 가난한 집 아이가 열심히 노력해서 출세하는 격이다. 인간승리의 주인공이라는 공통점도 발견할 수 있으며 자수성가의 감동도 전해진다.

당신은 지금 '미친 존재감'을 내보이고 있는가? 아니면 그것을 준비하고 있는가?

의미 부여

존재감은 '남다른 의미 부여하기'를 통해서 더욱 특별해진다. 집 주변에 있는 광진 정보도서관을 종종 찾는다. 늘 기분이 좋다. 한강변의 시원한 강바람도 좋지만 도서관 층층이 오르는 계단 턱마다 적어 놓은 글귀 때문이기도 하다. '아자, 조금만 더', '야호, 정상이 보인다.' 등. 사람들은 이 계단을 '의미의 계단'으로 받아들일 것이다. 아무런 의미도 부여하지 않은 계단에 비한다면 그 존재감이 여실히 드러난다. 어느 날 부모와 함께 도서관을 찾은 초등학생이 그 계단의 문구를 보며 말했다.

"아빠, 공부도 저렇게 해야 한다는 거지?"

광화문에 있는 교보생명의 글판은 의미 부여의 진수다. 글판에 담겨있는 메시지, 즉 의미 부여는 그 빌딩뿐만 아니라 광화문 거리를 남다른 거리로 만들어 준다. 시가 흐르고 문학이 흐르고 예술이 흐르고 역사가 흐르는, 즉 의미가 흐르는 그러한 곳으로 말이다.

광고인 이현종은 그의 저서 『心 스틸러―마침내 마음을 여는 열쇠를 얻다』에서 의미 부여에 대하여 다음과 같이 의미 있는 이야기를 펼쳐 놓았다.

"가끔 업계 사람들이나 후배들과의 술자리에서 이런 말을 할 때가 있다. '내가 생각하는 진짜 광고의 신은 말이야, 저 죽부인이라는 말을 만들어낸 사람이야. 봐. 그냥 대나무 통발에 불과한 놈한테 존재의 의미를 만들어줬으니 말이야.'"

광고는 어떤 관점에서 잊히지 않는 의미를 만들어내는 일이다. 아무것도 아닌 것을 특별한 것으로 만들기며, 보이지 않던 것을 보이게 만들기며, 어제까지 아무 관계도 없던 것들을 지금부터는 없어서는 안 될 관계로 만드는 일이다. 그런 점에서 "인간 존재를 핵심적으로 관통하는 것은 보이지 않던 것을 보이게 만들기며, 어제까지 아무 관계도 없던 것들을 지금부터는 없어서는 안 될 관계로 만드는 일이다. 그런 점에서 "인간 존재를 핵심적으로 관통하는 것은 권력 의지도 아니고 쾌락 의지도 아니고 바로 의미 의지이다."라고 말한 빅터 프랭클(Viktor Frankl, 1905~1997)의 통찰은 의미심장하다.

사람이 산다는 것은 '의미'를 산다는 것이다. 살아야 할 이유와 의미가 삶을 지탱한다는 말이다. 그리고 인간에겐 그런 의미를 찾고자 하는 본능적 의지가 작동하고 있다는 통찰이다. 그 자신이 아우슈비츠 수용소에서 끝까지 살아남으면서, 살아남은 자는 육체적으로 강인한 자가 아니라 살아야 할 이유를 갖고 있는 사람이었다는 것을 목도하면서 깨달은 것이다. 머릿속에서의 인식이 아니라 처절한 경험을 바탕으로 깨우친 진리라 많은 사람에게 감동을 주는 것 같다.

빅터 프랭클의 통찰은 인간의 본질이기도 하거니와 감히 광고의 본질과도 상통하고 있다는 생각을 해 본다. 인생에 있어서 의미는 사는 이유(Reason to live)가 되지만, 광고에 있어서 의미는 사는 이유(Reason to buy)가 되기 때문이다.

의미 부여의 핵심은 사람으로 치면 이름이고 제품이나 서비스의 경우에는 브랜드 네임이다. 일찍이 공자(孔子)는 정명순행(正名順行)이라 하여, "좋은 이름은 만사가 잘된다."라고 말했고 부처는 명전기성(名詮其姓)이라 하여, "이름자에 모든 것이 있다."는 말을 남겼으며, "아들과 딸에게 논밭을 주느니 좋은 이름을 주라."는 옛말도 있다. 시인 김춘수는 그의 시 〈꽃〉의 도입부에서 "내가 그의 이름을 불러 주었을 때 그는 나에게로 와서 꽃이 되었다."고 노래했다.

존재감은 그렇게 서로에게 의미를 주고받으며 만들어지고 커져간다. 회사에 거스름 동전과 식권 등을 모으는 모금함이 있었다. 'LOVE IS EVERYTHING'이라는 모금함 이름이 존재감을 과시했다. 많은 사람이 모금함 이름의 특별함에 대하여 말했다. 또한 그러한 모금함에 직접 모금을 하는 것은 특별한 경험이었다고 덧붙였다. 남다른 이름을 통한 의미 부여가 호소력 짙게 작용한 결과다.

초등학교 동창 카톡방에 낯선 이름이 등장했다. 이름이 상당히 세련되어 그 주인공이 누구인지 알아보고자 카톡방이 뜨거웠던 적이 있었다. 확인해 보니 여학생 동창이 이름을 바꾼 것이다. 50대 중반 나이에 이름을 바꾼 이유가 궁금했다. 개명한 이유는 한 많은(?) 이름 때문이라고 했다. 바꾸기 전 원래 그 친구의 이름 구조는 '이○자'였다.

사람들이 이름에서 풍기는 이미지대로 자기를 평가하더라고 말했다. 일을 계속해야 하기 때문에 이미지를 고려하여 개명할 결심을 했다고 했다. 이름을 바꾸고 나서 생활에 많은 변화가 생겼다. 처음 만나는 사람들로부터 이름이 세련되고 예쁘다는 말을 많이 듣는다고 한다. 바꾼 이름이 대화를 자연스럽게 하는 데 큰 역할도 한다는 것이다. 그러나 그 무엇보다도 스스로 자신감이 생긴 것이 제일 달라진 점이라고 호들갑을 떨었다. 객관적으로 보면 그녀의 존재감이 커졌다. 의미를 다시 부여해 변화를 주었기 때문이다.

나 역시 이름에 콤플렉스가 심했다. 예전에 의미 부여와 이름에 관한 칼럼(중앙일보 비즈칼럼, 2011.9.14)을 기고한 바 있다. 제목은 '인기 브랜드 네이밍의 비밀'이다.

　　남녀의 영혼이 바뀌면서 벌어지는 이야기를 담은 로맨틱 판타지 드라마 한 편이 올 초 많은 이의 관심을 받았다. 필자의 아내와 대학생 딸아이도 이 드라마에 폭 빠져 지냈다.

필자는 내용 전개보다 배우 하지원 씨가 연기한 여주인공의 이름 '길라임'에 주목했다. 독특한 느낌의 그 이름이 한동안 계속 떠올랐다.

한 달 전부터 목 디스크 치료를 받고 있다. 병원에 열심히다니는데도 뭔가 속 시원한 치료법이 없는 듯해 짜증이 났다. 어느 날 병원을 오가는 길에 작은 즐거움을 발견했다. 좀 허름한 족발 구이 집인데 간판이 특이했다. '족발연구소'. 아주 세련된 데다 현대적인 감각까지 더해진 '연구소'란 글자체가 족발이라는 업의 본질과 상당히 이질적으로 느껴졌다. '만두벌판'이라는 만두가게 이름과 더불어 꽤 오래 기억될 듯싶다.

오늘날 마케팅은 '기억'과의 싸움이다. 마케팅의 대가로 불리는 필립 코틀러(Philip Kotler)는 현대를 '기억되지 않은 브랜드의 거대 소멸기'라고 표현했다. 오늘날의 마케팅 환경에서 소비자의 머릿속에 기억된다는 것은 곧 생존과 직결되는 매우 중요한 화두다. 매일 2,000가지가 넘는 광고와 브랜드에 노출되며 사는 소비자들에게 '기억되지 않음'이란 곧 '존재하지 않음'을 의미한다.

이 전쟁에서 승리하기 위해 꼭 필요한 무기가 바로 '다름'이다. '다르다'는 것은 그 존재가 기타 다른 존재와 구분됨을 의미하며, 이 구분이 곧 특별함을 만들어낸다. 특별하다는 건 그만큼 기억될 가능성이 높다는 뜻이다. 결국 다르다는 것이야말로 마케팅 전쟁에서 생존율을 높이는 최고의 무기다.

사실 '다름의 가치'를 만든다는 건 마케팅의 영원한 과제다. 마케팅의 전 과정을 '다름의 가치'로 관리할 수 있다면 가장 이상적일 것이다. 그 제품, 그 서비스는 경쟁에서 승리할 가능성이 매우 높아진다. 필자는 그중에서도 이름, 즉 브랜드 네임에 확대경을 대고 싶다. 뭐니 뭐니 해도 기억의 1차 관문은 이름이기 때문이다.

어린 시절엔 이름에 대한 콤플렉스가 있었다. 응(應)자가 주는 낯섦도 그렇지만 '정운', '정은' 등으로 잘못 불리는 일이 다반사였기 때문이다. 그러나 지금은 아니다. 필자 이름의 끝 자인 '응'자엔 분명 '다름의 가치'가 있다. 그런 만큼 외려 이 글자가 효과 뛰어난 기억 요소로 작용하고 있음이다. '응이형', '응상무', '응아', 나아가 '응〜'이란 호칭으로까지 변신해 필자를 보다 쉽게 기억할 수 있게 해주기 때문이다.

프랑스빵을 파는 세련된 베이커리 이미지를 주는 제과 브랜드, 이슬 같이 깨끗하고 깔끔한 맛을 연상케 하는 주류 브랜드, 휘파람처럼 감미로우면서 한편으론 센 바람이 나옴직한 에어컨 브랜드까지…. 이 모두 '다름의 가치'가 반영된 기억하기 좋은 이름들이다.

물론 이름만 좋다고 오래 기억되는 것은 아니다. 명성이나 명예가 널리 알려진 데엔 다 그럴 만한 이유가 있는 것이다. 남다른 브랜드 이름과 함께 그에 걸맞은 품질·서비스·철학까지 갖췄을 때 비로소 다름의 가치는 빛을 발한다. 그런 '남다름'이 모여 위대한 차이를 만든다. 그런 위대한 차이를 달성한 기업은 경쟁에서마저 자유로울 수 있다.

자기다운 개성

그 어느 때보다도 홀가분한 토요일 오전이었다. 경쟁 프레젠테이션 승리의 짜릿함이 여전히 남아 있고 고질병이었던 금요일의 과음도 잘 극복했던 터였다. 게다가 좋기도 하고 부담스럽기도 했던 골프 약속도 없다. 무엇을 할까 망설이다가 동네 목욕탕을 찾았다. 목욕탕 가는 날은 기분이 좋다. 평소에 써놓은 〈목욕탕〉이란 제목의 자작 졸시(拙詩) 한 편이 떠올랐다.

그 어느 나들이의 설렘이 이만하랴.
발걸음도 가볍다.
콧노래가 절로 나온다.
6,000원의 호강이다.

자유가 넘실댄다.
평등의 거품이 일렁인다.
삶이 익어 간다.
소우주가 만들어진다.

마누라 흉보는 소리
아들 딸 손자 자랑하는 소리
삶의 노래다.
늘 이곳에 있다.

몸과 마음을 정갈하게.
하늘은 높고 맑았다.

세상사는 맛 늘 이랬으면 좋겠다.

'별유천지비인간'
알고 보면
가까이에 있다.

목욕탕에는 평소와 달리 손님이 한 사람도 없었다. 내 집 드나들듯 온탕 냉탕을 즐기고 있는데 갑자기 단체 손님인 듯한 사람들이 시끌벅적 떠들며 욕탕 안으로 들어왔다. 처음에는 조기축구회원들인가 생각했다. 목욕탕 안에 김이 잔뜩 끼어서 앞이 잘 보이지 않았다. 잠시 후 깜짝 놀라지 않을 수 없었다. 그 사람들은 이른바 어깨들이었다. 숫자도 무려 10여 명 이상이었다.

이 모습을 개성이나 존재감의 관점으로 보면 흥미진진한 케이스 스터디(Case Study)가 된다. 세칭 깍두기 머리, 뚱뚱하지만 다부진 몸매, 그리고 온몸에 그려진 문신이 내 눈앞에 펼쳐졌다. 일순간 나 혼자만 외계인이 된 듯한 느낌이었다. 슬그머니 욕탕 밖으로 빠져나오지 않을 수 없었다. 아직도 그날의 여러 잔영이 남아 있지만 특히 문신의 기억은 쉽게 지워지지 않고 있다.

문신이 대중화되고 있다. 물론 어깨와 같은 선수들의 문신과는 다른 문신이다. 많은 사람이 존재감의 부각이나 개성을 연출하는 방법으로 문신을 선택하고 있다.

어느 문화 평론가는 문신을 '존재론적 폐쇄성을 드러내는 몸짓, 자기 몸에 직접 표시하는 욕망의 해방구'라고 말하고 있는데 연필로 쓰는 사랑은 지우기가 쉬워도 한 번 새긴 문신은 지우기가 어렵다.

이동진의 『아름다운 거래』에서는 문신에 대하여 다음과 같이 말한다.

　지난날 조폭만이 독점하던 문신이 아니라 이제는 젊음을 뽐내는 패션 아이템이 되었다. 문신이야말로 자기표현의 방식이자 자기 존재감의 과시로 최고라고 생각하는 요즘 젊은이들이다.

　모델이니 봐달라는 뜻이었을까. 첨단 유행 패션을 걸친 미녀는 세련된 입으로 능글맞게 변명하고 있었다.

　"저를 주장하는 상징이에요. 제멋이니 귀엽게 봐 주세요."

　유행을 탓할 수야 없겠지만 한편으로 갈등을 정직하게 풀어내지 못하는 어설픈 개성에 혀를 차고 말았다. 제 몸에 전갈 스티커를 시위하듯 내붙이고도 거미 소리에 기겁하는 비겁함이 트릿했기 때문이었다. 그것은 몸뚱이로 소화하는 겉멋에 불과했지 행동의 중심을 잡아주는 마음 속 주견이 아니었다.

　진정한 존재감은 참다운 개성에서 나온다. 참다운 개성은 자기 고유의 매력이다. 길거리를 나서다 보면 '비슷한 얼굴'의 여성들을 많이 보게 된다. 고유의 매력을 찾을 수 없다. 목욕탕에서 경험한 '문신의 존재감' 또한 참다운 개성이 아니다. 차별화를 위한 차별화는 개성이 아니라 개성 죽임이다. 결국 자기다움이 없으면 매력적인 개성을 만들기 어렵고 존재감을 얻기는 더더욱 어렵다.

프리다 칼로의 소름 돋는 존재감

〈"절망에서 피어난 천재 화가" 프리다 칼로 展〉

이 낯선 헤드라인에 끌려서 미술 문외한인 내가 미술 전시관을 찾았다. 프리다(Frida Kahlo, 1907~1954)의 첫인상에 소름이 돋았다. 정면을 바라보는 눈매도 그렇고 색감, 표현 소재 등 모든 것이 낯설기만 했다. 심지어 비위가 상하기까지 했다. 이내 휙 한 번 둘러보고 전시장을 나와 버렸다. 그런데 시간이 지나면서 이상한 느낌이 꼬물거렸다. 몽환적인 잔상이 지워지지 않았다. 프리다는 왜 그런 그림을 그렸을까? 프리다에 대하여 공부하지 않을 수 없었다.

프리다의 인생 스토리는 파란만장이라는 의미 그대로다. 소아마비, 전차 충돌 사고, 부러진 척추, 깁스, 반복되는 수술, 남편 디에고 리베라(Diego Rivera)와의 애증, 3번의 유산, 멕시코의 보물, 피카소(Pablo Picasso, 1881~1973)의 칭찬 등. 다시 프리다를 찾았다. 이번에는 프리다의 시선을 피하지 않았다. 그녀의 '강한 존재감'이 두 가지 느낌으로 다가왔다.

첫째는, 베네통 광고와 비슷한 느낌이다.
베네통 광고는 정치, 인종, 종교, 환경, 전쟁, 기타 사회적 이슈 등을 과감히 다루는 것으로 유명하다. 남한의 이명박 대통령과 북한의 김정일이 입맞춤하는 광고가 그 한 예다. 이와 같이 파격, 논란의 중심으로 대변되는 베네통 광고의 핵심은 세상과의 소통이다. 다시 말해 '무관심의 장벽을 파괴하는 것'이다.

프리다도 소통하고 싶었던 것이다. 정면을 응시하는 그 눈빛이 그렇게 말하고 있다.

"나를 보라. 또한 나와 같이 절망 속에서 흐느끼는 수많은 사람을 보라."

그래서 프리다의 그림은 프리다 개인만의 자화상이 아닌 시대의 자화상으로 다가온다.

그러나 무관심의 장벽은 파괴되지 못했다. 일반적으로 프리다의 그림은 초현실주의로 분류되는데 정작 본인은 자신의 현실을 그린 것이라고 주장한다. 꿈과 현실이라는 극단의 차이가 존재하는 것이다. 프리다의 상처는 너무 아파서 타인의 시각으로는 도저히 객관화시킬 수 없었던 것이다.

또 다른 하나는, 감정이입이다. 감정이입은 글자 그대로 감정이 이동하여 다른 곳으로 옮겨 들어가는 것이다. 옮겨 가고 싶은 그곳은 어디인가?

바로 관심과 욕망의 꼭대기다. 타인의 모습을 알려고 하면 그 사람이 되어보아야 한다. 역사가들은 타인의 눈으로 보기 위하여 '시대의 현장' 속으로 들어간다. 배우는 작중 인물을 잘 연기하기 위하여 그 인물을 자신에게 빙의시킨다.

프리다를 알고 이해하려면 프리다의 인생 속으로 들어가야 했다. 프리다의 파란만장에 나를 던져 보아야 했다. 프리다를 따라 해 보아야 했다.

나 스스로 화가가 되어 자화상을 그려 본다. 프리다의 삶과 비교해 보고 프리다의 눈빛과 마주쳐 본다. 고독과 외로움이 무엇인지 느껴 본다. 절망과 고통의 정의에 대하여 다시 생각해 본다. 남자와 여자, 사랑과 배신을 곱씹어 본다.

프리다는 사람을 잡아끄는 주술적인 힘이 있었다. 프리다 칼로의 존재감을 극한으로 높여주는 수식어는 많다. 천재화가, 라틴 아메리카 미술의 대명사, 멕시코의 국보화가 등. 그러나 그 무엇보다도 최고의 것은 그녀에 대한 피카소의 말이다.

"여보게 디에고 우리는 결코 그녀처럼 그릴 수 없을 것이네."

프리다의 소름 돋는 존재감은 그 누구도 모방할 수 없는 그녀만의 개성이 핵심 중의 핵심이다.

자존의 힘

고등학교에 막 입학했을 때의 일이다. 교감 선생님이 각 반을 순회하면서 바람직한 고교생활에 대하여 일러주는 시간이 있었다. 선생님은 칠판에다 한자 하나를 썼다.

'自矜'

솔직히 나는 당시에 이 한자를 읽지 못했다. 바로 '자긍'이었다. "스스로에게 긍지를 가진다."는 의미다. 선생님은 "스스로를 귀하게 여기고 주체적으로 살아라. 주인으로 살 수 있어야 한다."고 당부한 것이다. 그 당시는 그냥 무덤덤하게 느꼈었는데 지금 보니까 멋진 인문학적 깨달음을 던져준 것이었다.

박희도의 『논어 힐링: 공자가 생각한 말』에서 만난 다음 구절은 선생님의 말을 그대로 옮겨놓은 듯하여 반갑기도 하고 놀랍기도 하다.

못 생긴 얼굴, 작은 키, 볼품없는 몸매라서 그것을 다른 모습으로 바꾸려고 하는 것은 자기다움을 숨기는 것과 같다. 세상의 잣대가 아름다움의 기준이 될 수 없으며 자기다움의 아름다움을 알아봐 줄 사람은 많다. 그 자기다움은 남들과 다른 자신만 가지고 있는 아름다움이기 때문이다. 길가에 피는 민들레도 들에 피는 제비꽃도 각각의 아름다움이 있고, 고유의 특성이 있다. 장미의 아름다움을 따라한다고 모든 꽃이 장미가 된다면 꽃을 보는 즐거움은 사라지고 말 것이다.

자기다움은 기본에 가까워지는 것이다. 꾸미지 않은 본연의 성질을 드러내는 것이다. 자기다움을 확실히 하고 오히려 자기만의 차별성을 살리는 것이 경쟁력이라고 하겠다. 나만의 차별성을 가지고 남들과 다른 콘텐츠를 확보하여 발전의 방향으로 나아가야 한다. 내가 왜 남들과 다른지 부각시킬 때 인정을 받는다. 사회 각 분야에서 독보적인 위치에 있는 사람들을 보면 자기만의 차별성으로 인정받는 사람들이다.

자기다움을 아는 사람이 아름답고, 자기만의 개성으로도 충분히 인정받을 수 있는 사회가 아름답다. 굳이 남과 같아지려 하지 말고, 자기 모습에 당당해지라. 그리고 기본에 충실하다면 그대는 더없이 아름다운 사람이다.

프렌치 시크와 닉 부이치치

프랑스 깐느에서 운 좋게 골프를 친 경험이 있다. 앞뒤 홀 비워 놓고 느긋하게 치는 것을 세칭 대통령 골프라고 하는데 그날 깐느에서의 상황이 꼭 그랬다. 앞에 보이는 팀도 없고 뒤에서 따라오는 사람도 없었다. 정신없이 몇 홀을 지났는데 저 앞 멀리에서 사람들 모습이 눈에 들어왔다. 그 사람들은 세 명의 여성 일행이었다. 모습도 늘씬해 보였다. 필경 젊은 여성들임을 믿어 의심치 않았다.

우리 일행도 세 명이었기에 상상의 나래를 폈다. 그러나 품었던 기대는 허무하게 무너져 버렸다. 홀 이동 중에 비켜가는 그들의 모습을 볼 수 있었다. 놀랍게도 그들은 나이를 정확히 알도리가 없었지만 할머니들이었다. 그렇게 뒤의 태가 맵시 있는 여성들이 할머니였다는 사실이 믿어지지 않았다. 그날 저녁 대화 주제는 '프랑스 여자'였다. 우리 일행의 결론은 프랑스 여성은 사람들의 관심을 끄는 '남다름'이 있다는 것이었다.

지금은 고인이 된 한 광고계 선배는 특히 프랑스 배우 줄리엣 비노쉬(Juliette Binoche)를 좋아했다. 그는 술좌석에서 "어떻게 하면 줄리엣 비노쉬를 광고모델로 출연시킬 수 있겠는가?" 늘 그 이야기만 했다. 지금은 외국인 모델이 많이 등장하지만 90년대 초반 당시에는 외국인 모델 그것도 비노쉬 같은 빅 모델을 기용한다는 것이 무척 어렵던 시절이다. 그 당시 선배가 말한 비노쉬의 매력은 "뭐라고 표현할 수 없다."였다.

그러한 표현은 시니컬한 선배의 성격을 감안할 때 극찬 중의 극찬이었다. 그 선배는 하늘나라에서 비노쉬를 광고모델로 기용했는지 모르겠다.

많은 사람이 '프렌치 시크'에 매료되고 있다. 여자들의 로망이라고 표현하기도 한다. 프렌치 시크(French Chic)란 프랑스인다운 삶과 멋을 뜻하는 말이다. 심우찬의 『프랑스 여자처럼』에서는 신경질적인 어투, 아무렇게나 걸쳐 입은 듯한 옷차림, 맨얼굴 같은 화장법, 지적으로 느껴지는 무관심 등이 프렌치 시크를 설명하는 말들이라고 소개하고 있다. 멋 내지 않아도 멋이

나는 스타일이라고 할 수 있다. 거기에다 프랑스 여자들의 이미지는 우아하고 고상하며 나이가 들어도 자신을 꾸밀 줄 알고 심지어 살도 안 찐다는 평가까지 받고 있다. 당연히 무엇이 그녀들을 이렇듯 매력 있게 만드는지 궁금하지 않을 수 없다.

또 다른 책 미레유 길리아노(Mireille Guiliano)의 『프랑스 여자는 늙지 않는다』에서 프랑스 여성들을 가장 매력적으로 만들어 주는 것은 자신만의 고유한 향기를 중시한다는 것이라고 밝히고 있다. 나이가 드는 것을 자연스럽게 받아들이고 그 나이에 맞는 가장 적절한 외모 가꾸기와 스타일을 추구한다고 한다. 이는 성형으로 흔한 외모가 되려고 하는 생각과는 정반대의 방법이어서 더욱 주목되는 점이라고 한다. 결국 프랑스 여성의 남다른 존재감은 자신을 존중하는 '자존 의식'이라는 뿌리에 그 기반을 두고 있는 것 같다.

방송인 이경규가 자신이 진행했던 TV프로그램 출연자 가운데 가장 인상 깊었던 사람이 누구였냐는 질문에 '닉 부이치치(Nicholas James Vujicic)'라고 답했던 적이 있다. 닉 부이치치, 그는 누구인가? 선교사이자 동기부여 연설가다. 또한 지체장애인을 위한 기관인 '사지 없는 인생(Life Without Limbs)'의 대표이고 희망의 메시지를 전하는 희망전도사이기도 하다.

그런데 그의 삶 속에는 일반인들이 상상할 수 없는 스토리가 숨어 있다. 그는 해표지증이라는 병을 안고 태어났다. 그 병은 '바다표범 손발증'으로도 불리며 팔, 다리의 뼈가 없거나 극단적으로 짧아서 손발이 몸통에 붙어 있는 기형을 말한다. 의학적으로도 설명하기 어려운 희귀병이다. 그러나 시련과 고통은 그를 쓰러뜨리지 못했다. 장애는 그가 살아가는 데 방해가 될 수 없었다. 그는 자신에게 주어진 운명을 다음과 같이 말했다. 그의 강력한 존재감이 훤히 드러나는 순간이다.

"절대 포기하지 마세요. 제가 할 수 있으면 여러분도 할 수 있습니다."

"우리의 길은 서로 다릅니다. 남들과 비교해 우울해하지 마십시오. 내가 가지고 있는 것에 감사하고 나의 장점에 집중해야 합니다."

"스스로 한계를 정하지 마십시오. 나는 팔다리가 없지만 날마다 새로운 것에 도전합니다. 내가 가지지 못한 것보다 내가 가진 것에 집중하세요."

닉 부이치치가 절망을 희망으로 바꿀 수 있었던 힘은 무엇인가? 여러 가지가 있을 것이다. 가족의 끊임없는 사랑과 관심에서부터 삶을 대하는 초긍정적인 태도, 하느님에게 감사하는 신앙의 힘에 이르기까지. 그러나 그 무엇보다도 큰 힘으로 작용한 것은 바로 '나' 자신을 사랑하는 '자기애'다. 진한 감동을 주는 그의 존재감이라는 열매, 그 씨앗은 역시 '자기다움'이다.

비교하기보다는 나만의 길을

두 편의 그림을 감상해 보자.

한 편은 작품명이 〈나를 움직이는 당신〉이다. 한복을 곱게 입은 여성이 속살이 훤히 드러나 보이는 한복 치마를 입고서 오토바이로 햄버거를 배달하는 모습이다. 또 다른 한 편 역시 한복을 맵시 있게 입고서 '맛세이'라는 고수의 자세로 당구장에서 포켓볼을 치고 있는 여인의 모습을 그린 작품이다. 작품명 〈폼생폼사 순정녀〉다. 이 두 작품은 〈내숭 올림픽〉이라는 주제의 작품 가운데 일부이다.

이 작품은 김현정 화가의 작품이다. SNS에서 유명세를 타기도 했고 '한국화의 아이돌'이라는 별명을 얻기도 했다. 그런데 화가의 이야기를 들어보면 이러한 그림이 탄생하지 못할 수도 있었겠구나 하는 생각을 하게 된다. 화가는 대학시절에도 '내숭'이라는 콘셉트로 그림을 그렸지만 교수님들이 이해해 주지 않았다고 한다. 우울증까지 생기기도 했지만 포기하지 않았다. 자기 확신을 가진 것이다. 그 확신은 '내가 그리고 싶은 것을 그리겠다.'는 것이었다. 만일 그가 교수님들이 이해해 주지 않는다고 해서 편한 쪽으로 고개를 기울였다면 이러한 '내숭' 시리즈는 탄생할 수 없었을 것이다. 그는 그만의 길을 선택했다. 그의 그림에서 남다른 존재감이 느껴지는 이유다.

"남의 떡이 커 보인다."라는 속담이 있다. 우리나라 사람만의 차별화된 심리 상태인가 했는데 영어에도 같은 의미의 속담이 있다.

"The grass is always greener on the other side of the fence(울타리 저편 잔디가 항상 더 푸르다)."

동서고금을 막론하고 사람들의 심리는 공통된 그 무엇이 있는 것 같다.

철학자 데카르트(René Descartes, 1596~1650)는 비교에 대하여 다음과 같이 경계하고 있다.

"비교만큼 자신의 행복을 해치는 감정은 없다."

아마도 비교는 인간만이 지니는 대표적인 못된 특징 가운데 하나가 아닌가 한다.

매월 정기적으로 만나는 모임이 있다. 주로 맛 집 탐방과 편안한 이야기를 나누는 모임이다. 모임의 멤버가 서로 돌아가면서 호스트를 한다. 어느 날 한 회원이 일반 음식점이 아닌 자기네 집에서 모임을 갖자는 제안을 했다. 그것도 부부동반 모임으로 말이다. 그 집은 대단했다. 영화나 드라마 속에서나 볼 수 있을 만한 집이었다. 외형적으로도 놀라웠지만 인테리어 및 집안 구석구석에 새겨 넣은 스토리가 더욱 인상 깊었다. 참석자 대부분은 만일 부인과 함께 왔었다면 큰일 날 뻔했다고 농담 아닌 농담을 했다. 서로 비교가 될 수도 있었기 때문이다.

이웃효과

'이웃효과(Neighbor Effect)'는 미국의 경제 칼럼니스트 윌리엄 번스타인(William Bernstein)이 만든 경제학 용어다. 이웃을 비교대상으로 삼고 그들의 의견을 따르려는 경향을 말한다. 이러한 이웃효과는 그 어떤 절대적인 기준이 아니라 주변의 친구나 이웃과의 비교를 통해서 자신을 평가한다. 절대적인 빈곤보다 상대적인 빈곤이 사람들에게 더 큰 불행을 느끼게 하는 이유다. "사촌이 땅을 사면 배가 아프다."는 속담이 적절한 사례다.

이웃효과는 우리 사회 곳곳에서 쉽게 볼 수 있다.

중소기업 CEO인 선배가 한숨 쉬며 고민을 토로했다. 새로 뽑은 여비서가 한 달 월급 대부분을 명품을 구매하는 데 사용한다는 것이다. 이러한 구매 행태가 나중에 금전 비리로 이어질까봐 걱정스럽다는 것이었다.

한 지인이 걱정이 있다고 해서 만나서 소주 한잔을 했다. 자녀가 S대에 진학했는데 전공학과가 마음에 안 든다고 해서 걱정이라는 것이다. 이는 상식적인 걱정이 아니었다. 소주값이 아까웠다. 일찍이 칼 마르크스(Karl Heinrich Marx, 1818~1883)도 "만약에 작은 집 옆에 궁전같이 큰 집이 솟아오르면, 지금껏 사는 데 불편함이 없던 그 작은 집은 비교되어 곧 오두막집으로 전락하고 만다."며 이웃효과가 상대적인 박탈감을 불러일으킨다는 점을 지적한 바 있다.

대추나무와 밤나무가 나란히 담장 역할을 하고 있다. 대추나무는 밤나무에 비하여 외견상 초라해 보인다. 어느 명절날 작은 아버지가 대추나무를 베어버리자는 주장을 했다. 아버지가 반대했다. "밤은 밤대로의 특징을 가지고 있고, 대추는 대추 나름의 특징을 가지고 있다."

황대권의 『민들레는 장미를 부러워하지 않는다』를 다시 읽어보는 계기가 되었다.

자연은 나무, 풀, 돌, 바람 등 저마다의 개성이 살아 움직이기 때문에 위대하다. 당신도 자기만의 삶을 살면 좋겠다. 당신의 특장점을 잘 살려서 당신만의 개성을 만들어야 할 것이다.

혜민 스님의 말은 당신만의 가는 길에 큰 응원이 될 것이다.

"다른 사람들이 하는 대로 무조건 따라하는 것은 내 삶의 주도권을 포기하는 거예요."

MC본능

"무소의 뿔처럼 혼자서 가라."

작가 공지영의 소설 제목이기도 하다. 나는 그 소설이 나왔을 때 처음 그 말을 들었다. 불교 경전을 접해보지 못했던 나는 그 말뜻이 무엇일까 몹시 궁금했다.

무소는 코뿔소를 말하는 것이고 석가모니(釋迦牟尼, B.C. 563~483) 당시에 살았던 코뿔소는 뿔이 하나였다는 사실을 알게 되었다. 뿔이 하나이면서 우직하게 보이는 코뿔소의 이미지를 떠올리게 되었고, 막연하게나마 "남에게 기대지 말고 스스로 살아가야 한다."는 의미로 받아들였다.

물론 실제는 더욱더 의미심장한 뜻을 담고 있다. 세상만사에 대한 집착을 버리고 묵묵히 제행무상(諸行無常), 제법무아(諸法無我)를 깨닫기 위한 자기 수행의 길을 가라는 뜻이다. 이 말은 부처의 말씀을 담은 초기 경전 『수타니파타』에 나오는 구절이다. 법정 스님은 『수타니파타』를 번역도 했고 또한 늘 가슴속에 간직하며 지냈다고 한다.

홀로 행하고 게으르지 말며
비난과 칭찬에 흔들리지 말라
소리에 놀라지 않는 사자처럼
그물에 걸리지 않는 바람처럼
진흙에 더렵혀지지 않는 연꽃처럼
무소의 뿔처럼 혼자서 가라

이 말이 주는 메시지는 분명하다. 주눅 들지 말고 당신이 당신 인생의 주인공으로 당당히 살아야 한다는 가르침이다. 당신 자신을 더욱 아끼고 사랑해야 한다는 것이다. 운명의 열쇠를 쥐고 있는 것도 당신이고, 모든 가능성을 쥐고 있는 것도 당신이고 삶의 모든 해답이 나올 수 있는 것도 당신이라는 말이다.

자기 주체적인 삶이란 주인의식을 가지는 것이다. 나는 직장 생활을 할 때 별명이 'MC본능'이었다. 나는 이 말을 좋아했다. 주인의식으로 들렸기 때문이다. MC라는 단어의 뜻대로 마이크 잡고 여러 사람 앞에 나서기도 많이 했다. 실제로 이러한 MC본 능을 가지고 일을 했을 때가 업무 성과도 좋았고 회사에서의 평 가도 가장 좋게 받았던 것 같다.

"인생은 쇼다."라는 말처럼 삶은 일상의 희로애락이 담긴 프 로그램의 연속이다. 주인공이 되느냐 조연으로 머무를 것이냐 는 당신 자신에게 달려 있다. 스스로를 내 삶의 MC라고 생각하 면, 보다 자신감 있는 하루하루를 살 수 있을 것이다. MC본능 으로 무장해서 삶의 프로그램을 재미있고 의미 있게 진행하면 서 살아야 하겠다.

낭중지추

낭중지추(囊中之錐)의 의미를 곱씹어 보자. 주머니 속의 송곳 은 언젠가 주머니를 뚫고 나온다는 뜻이다. 재주나 능력이 뛰어 난 사람은 스스로 그 능력이 드러나게 된다는 의미로 사용하고 있다. 개그적인 표현을 빌리자면 자체발광 존재감쯤 될 것이다.

낭중지추는 모수자천(毛遂自薦)과 함께 사마천이 지은 『사기』 의 〈평원군 열전〉을 통해서 전해 내려오는 이야기다. 다음의 유 래를 보고 스스로 존재감을 만들어 가는 지혜란 어떤 것인지 느껴보기 바란다.

조나라가 진나라의 공격을 받고 곤경에 빠졌다. 조나라의 공자 평원군은 초나라로 구원을 요청하기 위해 식객 중에서 스무 명을 추려 함께 가기로 했다.

그런데 열아홉 명을 골라 뽑고 나니 한 사람이 모자랐다. 한 사람을 마저 채우려는데 적당한 사람이 없었다. 누구를 뽑아야 할까 망설이고 있는데 모수라는 사람이 불쑥 나서면서 자기가 따라 가겠노라고 했다. 평원군은 어처구니가 없었다.

"대개 선비가 세상에 있는 것은 송곳이 자루 안에 있는 것과 같아서 그 끝이 자루를 뚫고 밖으로 나오는 법이오. 그런데 당신은 내 집에서 3년이나 있었지만 지금까지 나는 당신의 이름조차 알지 못하오."

눈에 띄지도 않았던 무능한 사람을 이번처럼 중대한 길에 데려 갈 수 없다는 뜻으로 말했던 것이다. 그랬더니 모수가 받아쳤다.

"저의 이름을 모르고 계신 것은 그럴 기회가 없었기 때문입니다. 저는 오늘에야 비로소 자루 속에 넣어 달라고 청하는 것입니다. 저를 처음부터 자루에 넣어주셨다면 송곳 끝이 아니고 송곳 자루까지 불거져 나왔을 것입니다."

평원군은 이 재치 있는 대답을 듣고 스무 명의 수행원 속에 모수도 끼워 주었다. 다른 열아홉 명의 수행원은 자화자찬하는 모수를 비웃으며 빈정대기도 했다. 그러나 여행 중 열아홉 명 모두 모수의 말재주를 당해 내지 못했다. 모수는 의외로 대논객이었다. 결국 모수의 지략과 말솜씨로 평원군은 초나라에서 구원병을 얻을 수 있었다.

'낭중지추'는 출중한 인재를 일컫는 또 다른 말이기도 하다. 예로부터 우수한 인재를 확보하기 위한 많은 노력이 있었다. 신언서판이 그 가운데에서 대표적이다. 낭중지추는 신언서판을 통하여 얻어진다. 중국 당나라에서는 관리를 등용할 때 신언서판 네 가지를 두루 갖춘 사람을 으뜸으로 선발했다. 신언서판은 우리나라에도 전해져 조선시대에 인재등용의 원칙이자 선비들이 갖추어야 할 덕목으로 자리 잡았다.

신언서판이 인재의 기준으로 다시 각광을 받고 있다. 요즈음 "사람 뽑기 어렵다."는 말을 자주 듣는다. 취업 준비생들은 물론이고 경력직 채용에서도 마찬가지다. 비슷한 스펙, 정형화된 스토리를 가지고 있기 때문이다. 신언서판이 인재의 기준으로 다시 고개를 드는 것은 이러한 인재 선발에 어려움을 겪고 있는 현장의 목소리가 반영된 것이다.

당신만의 신언서판으로 무장하라. 거기에는 당신의 본질이 쏙

쏙 배어들어야 한다. 그러면 고사에 나오는 모수처럼 당신은 낭중지추의 존재감을 발휘하는 인재가 될 것이다. 현직에서는 승진 등 한 걸음 더 앞으로 나아가게 될 것이다. 설령 다른 직장으로 이동한다면 헤드헌터의 레이더에 빠르게 포착될 것이다.

신(身)

신(身)이란 사람을 처음 만났을 때 접하는 풍채와 품행을 말한다. 자연스럽게 평가의 첫째 기준이 된다. 부드러운 미소, 다정한 눈빛, 밝은 표정. 한마디로 이미지 이력서라고 말할 수 있다. 아무리 신분이 높고 재주가 뛰어난 사람이라도 몸가짐이 바르지 못한 사람은 좋은 평가를 받을 수 없다. 예나 지금이나 첫인상의 중요성은 변함이 없다.

사례를 하나 들어보자. 그는 초등학교, 중학교를 다니는 동안 전교 1등을 도맡아 했다. 그러나 정작 공부 잘하는 학생이 받는다는 우등상은 단 한 번도 받지 못했다. "품행이 방정(方正)한 것이 아니라 품행이 방정맞다."는 이유 때문이다. 상상할 수 있을 것이다. 공부는 잘하는데 청개구리처럼 삐딱한 친구를 말하는 것이다. 품행이 바르지 못하면 좋은 평가를 받을 수 없고 존재감은 그만큼 줄어들게 된다.

신(身)은 당신이라는 브랜드의 이미지를 좋게 하는 것을 말한다. 시쳇말로 좋은 아우라가 느껴지는 품행 이미지를 만드는 것이다. 당신의 존재감을 높이기 위해서는 전반적인 아웃룩을 구성하는 요소들을 업그레이드 시키는 데 시간과 자원을 투자해야 한다. 세세하게는 복장, 태도와 자세, 예의, 인상 등이 포함된다. 유행, 문화, 트렌드를 리드한다면 더없이 좋겠지만 뒤처진다는 인상은 주지 말아야 한다.

신(身)은 외면의 건강함과 더불어서 내면의 건강함도 갖추어야 함을 말한다. 외면과 내면의 건강함이 균형을 잃으면 오히려 마이너스 효과가 난다. 건강한 신체와 건강한 정신을 가져야 한다. 일찍이 '몸도 튼튼, 마음도 튼튼'이라 했다. 내면과 외면의 반듯함을 강조하는 말이다.

역사적으로 뛰어난 외모를 가진 사람들이 일반의 예상과는 달리 외모만큼의 행복한 삶을 살지 못했다. 여러 가지 이유와 원인이 있었겠지만 내면의 건강성 부족이 큰 이유 중의 하나다. 겉과 속의 아름다움이 밸런스를 이루어야 보석처럼 빛난다. 다이아몬드가 영원한 것은 겉만 아름다워서 그런 것이 아니다. 속도 겉만큼이나 단단하고 아름답기 때문이다.
당신의 존재감도 다이아몬드처럼 영원하기를.

언(言)

언(言)이란 사람의 언변을 이르는 말이다. 때와 장소와 상대방에 맞게 조리 있게 하는 그 사람의 말솜씨를 말한다. 사람을 처음 대할 때 아무리 뜻이 깊고 아는 것이 많은 사람이라도 상대방에게 분명하게 의사전달을 하지 못할 경우 정당한 평가를 받지 못한다. 당연한 이치다. 말은 소통의 시작이기 때문이다. 상대방이 관심법을 익혔다면 모르겠지만 전달되지 않으면 존재감 자체가 형성되지 않는다. 말을 하지 않으면 귀신도 모른다.

어느 해 여름 우연히 술자리에서 친구를 만나 그와 함께 온 일행들과 합석했다. 초면인지라 서로 짧은 인사말을 주고받았다. 그런데 그중 한 사람이 나에게 대뜸 이런 말을 했다.
"머리숱이 적어 이 여름도 시원하시겠습니다."
나는 머리숱이 아주 적다. 아니 없다고 말하는 것이 더 정확할지도 모르겠다. 성인군자가 아닌 이상 기분이 좋을 리 없다. 하고 많은 말 중에서 '초면에 꼭 그런 말을 해야 하나.' 하고 씁쓸해하다 보니 오랜만에 만난 친구조차 존재감이 없어 보였다.

나는 목소리 또한 여러 사람들의 입방아에 자주 오르내리곤 한다. 시쳇말로 갈라지는 쇳소리가 나는 것이다. 직업상 프레젠테이션을 자주 해야 했는데, 목소리는 프레젠테이션의 매우 중요한 요소라서 늘 신경이 쓰이곤 했다. 어느 성공적인 프레젠테이션이 끝나고 나서 관계자가 이런 말을 전해 왔다.

"목소리가 참 개성 있고 임팩트가 있습니다."

물론 그 사람은 나에게 좋은 존재감으로 남아 있다.

속마음이 무엇이었든지 간에 결국은 말로써 표현하게 된다. 말 한마디가 그 사람됨을 평가한다. 언(言)은 언행일치를 통하여 완성된다. 언변이라는 것은 세칭 약장수, 구라 등과 같은 번지르르한 말재주만을 의미하는 것은 아니다. 조리 있는 말솜씨와 더불어 행동솜씨도 역시 조리 있어야 한다. 말과 행위가 일치될 때 존재감이 형성되고 부각된다.

정치인들의 말이 종종 언론에 오르내린다. 정치인의 공약(公約)과 공약(空約)이 대표적인 사례다. 행동, 실천이 따르지 않는 말은 거짓이고 불신의 다른 이름이다. 옛 우리 속담에 "말 한마디로 천 냥 빚을 갚는다."고 했다. 평소에 간절함·재치·진정성·배려·감동·공감 등의 남다름을 담아 이야기를 건네 보자. 그렇게 함으로써 이익을 주고받는 편익의 관계, 서로 믿고 의지하는 신뢰의 관계, 나아가 이심전심으로 통하는 사랑의 관계로 서로의 의미가 깊어질 것이다. 당연히 당신의 존재감은 오래도록 좋은 기억으로 남게 될 것이다.

서(書)

　서(書)는 글씨(필적)를 가리키는 말이다. 예로부터 글씨는 그 사람의 됨됨이를 말해 주는 것이라 하여 중요시하였다. 글씨에 능하지 못한 사람은 그만큼 평가를 받지 못했다. 서자심화(書者心畵). 곧 글씨는 마음의 그림이라고 했다. 이러한 일차적인 서의 의미는 요즈음 환경에는 썩 잘 부합하지 못하는 것 같다. 펜, 연필 등 손으로 쓰는 손 글씨보다는 워드 등 기계 글씨의 쓰임새가 더 많아져서다. 서의 핵심은 글씨의 반듯함도 포함하지만 실제는 문장력을 말한다. 그래서 서를 문(文)이라고도 했다.

　글을 짓는 능력은 예나 지금이나 쉬운 일이 아니다. 편지 한 장 쓰기도 쉽지 않다. 그러나 문장력의 중요성은 디지털 시대인 오늘날에 더욱 확대되고 있다. 우선 글을 잘 쓰지 못하면 사회생활 자체가 힘이 든다. 리포트, 업무일지, 보고서, 기획서, 제안서, 프레젠테이션 등의 핵심은 좋은 문장력이다. 너도 나도 개인적으로 온라인 환경을 많이 구축한다. 이메일, 블로그, SNS 등도 좋은 문장력이 핵심이다. 문장력이 뒷받침되지 못하면 주목받을 수 없다. 문장력은 디지털 환경에서도 자신의 존재감을 나타낼 수 있는 핵심 수단이다. 전문적인 작가가 아니더라도 문장력이 좋으면 책을 출간할 수도 있고 블로그 등 SNS를 통하여 관심의 중심에 설 수도 있다.

문장력을 향상시키기 위해서는 무엇을 해야 할까? 글쓰기 전문가들은 말한다.

　"글쓰기의 정답은 없다. 직접 써보는 것이 최고의 방법이다."

　매사 직접 해보는 방법보다 더 좋은 훈련 방법은 없다. 당신의 생각을 표현하지 못하면 시대에 뒤떨어지게 된다. 언감생심 존재감을 탓할 수 있겠는가.

　다음 사례를 보면서 문장력을 통한 존재감의 깊이를 가늠해 보라.

　"천억 원이 백석의 시 한 줄만도 못해."

　성북구에 길상사라는 절이 있다. 요정 대원각의 주인이 법정 스님의 『무소유』를 읽고 감명받아 당시 시가 1,000억 원이 넘는 규모의 터를 법정 스님에게 시주하여 만들어졌다. 기자들이 질문했다. "그 재산이 아깝지 않느냐."고. 주인이었던 자야라는 여인이 이 질문에 대해 답으로 한 말이다. 백석은 그녀의 연인이었고 『나와 나타샤와 흰 당나귀』로 유명한 시인이다.

　우리도 백석이 될 수 있다. 이제부터 "적자생존(적는 사람만이 살아남는다.)"을 '적자백석'으로 바꾸어 새겨 보자.

판(判)

　판(判)이란 사람의 문리(文理), 곧 사물의 이치를 깨달아 아는 판단력을 뜻한다.

　사람이 풍채가 매력적이고, 말을 잘하고, 글씨와 문장력에 능해도 사물의 이치를 깨달아 아는 능력이 없으면, 좋은 평가를 얻을 수 없다. 존재감이 없다. 어찌 보면 신언서판 가운데서 판이 가장 중요하다. 그런 의미에서 신언서판의 순위가 바뀌어야 옳다. 신언서판이 아닌 판서언신으로 말이다.

　판단력이 왜 가장 중요한가?
　판단력의 판자는 칼로 반을 나눈다는 의미다. 바로 결단한다는 것이다. 선택한다는 것이다. 판단력이 인생을 좌우할 수 있다. 판단력이란 그 사람의 핵심 콘텐츠이며 내면에 도사리고 있는 실력의 드러남이다.

　판단력은 세상을 읽는 훈련을 통하여 증진시킬 수 있다. 그 방법은 독세(讀世)다. 독세는 독서(讀書)와 독인(讀人)으로 나뉜다. 책을 통하여 간접 경험을 하고 사람을 통하여 직접 경험하는 것이다. 그로부터 판단력의 통찰을 얻는 것이다.

　독서는 인문학 관련 도서를 많이 읽어야 한다. 문학, 역사, 철학에는 많은 사람의 인생이 담겨 있다. 자연히 등장인물들이 삶을 살아가는 판단 잣대가 녹아 있다. 그것에 당신을 대입해 보고 지혜를 얻어내는 것이다. 당신이 만일 로미오와 줄리엣이었다면 어떠한 판단을 하고 왜 그러한 판단을 했을까를 역지사지해보는 것이다. 독서는 사고력을 튼튼하게 해준다. 튼튼한 사고력은 올바른 판단과 선택의 디딤돌이다.

독세의 나머지는 사람을 읽는 것이다. 나는 나름의 원칙이 있다. 타산지석, 반면교사, 취사선택이 바로 그것이다. 저 산의 돌멩이 하나에도 의미가 있다. 배울 점이 있는 것이다. 하물며 사람들은 두말하면 잔소리다. 모든 사람에게는 배울 점이 있다. 그것을 찾아내야 한다.

다른 하나는 정반대의 경우다. 저 사람 같이는 되지 말아야겠다는 것이다. 이와 같은 두 가지의 축으로 사람을 살펴보고 당신만의 결론을 내려라.

당신의 올바른 판단이 당신의 올바른 존재감을 만들어 준다.

3장. 경청

눈높이에서 귀 높이까지

"내가 무슨 말을 했느냐가 중요한 게 아니다.
상대방이 무슨 말을 들었느냐가 중요하다."

-피터 드러커(Peter Ferdinand Drucker,
1909~2005). 작가, 경영학자.

실패한 경청

"아니 뭐 하는겨~? 어디 한마디 좀 해봐."

어머니 팔순 잔치 때의 일이다. 자식들이 나와서 한마디씩 하라는 하객들의 성화에 못 이겨서 갑작스럽게 인사말을 한 적이 있다. 오랜 기간 광고업에 종사해 온 터라 여러 사람들 앞에서 프레젠테이션을 해본 경험도 많고 또한 평소에 주위 사람들로부터 'MC본능'이라는 좋은 입담에 얽힌 별명도 얻고 있었기에 별 부담 없이 하객들 앞에 나섰다. 이런 경우에 꼭 맞는 특별한 연설이 따로 있을 리 없다. 보통 남들이 하는 대로 하는 것이 상책이라고 생각해서 그대로 했다.

"공사다망(公私多忙)하신 와중에도 이렇게 참석해 주셔서 고맙습니다. 저희 어머님이 건강하신 것은 여러분들이 함께해주신 덕분입니다. 오늘 노래도 많이 부르시고 술과 음식도 마음껏 드시면서 재미있는 시간 보내십시오."

뭐 이런 내용을 골자로 하여 말 그대로 청산유수의 말솜씨로 한 말씀 올렸다. 물론 스스로는 "그 아들 서울서 번듯한 직장 다닌다더니 말 한번 잘한다."라는 시골 어른들의 당연한(?) 칭찬을 기대하면서 말이다. 잔치가 열린 현장에서의 반응만 놓고 보면 정말로 그런 줄 알았다. 하객으로 오신 어른들의 얼굴에서 아주 흡족해하는 표정을 읽을 수 있었으니까.

그런데 문제는 나중에 생겼다. 잔치를 다 끝내고 나서 오늘 행사에 대하여 정리하는 시간을 가졌다. 아버님을 비롯하여 가족들의 의견은 대체로 긍정적이었고 오늘의 행사에 대하여 수고가 많았다고 서로를 격려했다. 하지만 유독 어머님만은 얼굴 표정이 썩 좋아 보이지 않았다. 시쳇말로 온종일 흥에 겨워서 방방 뜨시던 모습과는 사뭇 달랐다. 오늘의 주인공께서 심기 불편한 표정을 하고 있으니까 어색한 침묵만이 흘렀다. 한참 후에 어머님이 말문을 여셨다. 그런데 놀랍게도 내가 오늘 하객에게 한 인사말에 대하여 지적하시는 게 아닌가? 어머니는 대단히 실망스러운 표정으로 "너는 대학까지 나왔으면서 왜 그렇게밖에 말을 못 하느냐?"라는 핀잔이 아닌 꾸중을 하시는 것이었다. 참석하신 시골 어른들께서 내가 무슨 말을 했는지 하나도 못 알아들었다는 거였다. 서울서 대학 나오고 대기업에 다닌다고 들었는데 매우 실망스러웠다는 뒷얘기도 있었다고 한다.

칭찬은 고사하고 예기치 못한 청중의 평가에 당혹스러웠던 기억이 새롭다. 어머니 팔순잔치 인사말 사건은 나의 대표적인 프레젠테이션 실패 사례 중의 하나로 기록되고 있다. 지나고 나서 생각해 보니 그러한 참혹한 결과는 미리 예견되어 있었다고 해도 과언이 아니었다.

우선 나는 평소에 시골에 자주 내려가지 않았다. 설령 설과 추석 등 명절이나 여름 농번기에 간혹 시골을 찾는다 해도 동네 어른들과 커뮤니케이션을 거의 하지 않았다. 그만큼 시골에 대하여 또한 시골에 계신 어른들에 대하여 관심이 없었던 것이다. 듣지 않았으니 당연히 그분들의 정서나 관심사를 알 턱이 없다. 하고자 하는 말의 정확한 전달은 고사하고 공감, 소통의 단계까지에는 한참 미치지 못함은 당연하다 하겠다.

　문제는 '경청하지 않음에 따른 불통(不通)'이다. 정치인이 국민의 소리를 들어보지도 않고 자신의 의견만을 일방적으로 전달하는 경우와 다를 바가 없었다. 나는 평소에 정치인의 그런 모습을 비난해 왔다. 마치 "뭐 묻은 개가 뭐 묻은 개를 나무란다."는 격이었다.

세종대왕의 경청

　많은 사람이 '듣는 것이 뭐가 그리 어렵겠는가?'라고 생각한다. 그러나 "그 사람하고는 말이 안 통해." "도대체 그 사람이 무슨 말을 하는지 말귀를 못 알아듣겠어." 등 소통 부재에 대한 아우성은 지금도 여기저기에서 끊임없이 들려오고 있다. 왜 이러한 현상이 줄어들지 않고 계속되고 있는가? 바로 자기 자신만의 기준으로 상대방을 판단해 버리는 이른바 일방적 커뮤니케이션의 결과에 다름 아니다. 베갯머리 송사를 하는 부부 사이에서도, 온종일을 거의 함께하는 직장 동료 사이에서도, 나아가 모두가 국민을 위한다는 위정자들 사이에서도 소통 부재의 1차 원인은 상대방의 입장을 잘 듣지 않음에 있다.

진정한 소통의 시작은 경청(傾聽)에서 시작된다. 그래서 경청 기술이 최고의 커뮤니케이션 능력이라는 주장에 무게가 실리는 것이다. 미래학자이자 세계적 경영컨설턴트인 톰 피터스(Tom Peters)는 이렇게 말한다.

"성공한 사람들이 다른 사람들과 차이를 만들어내는 것은 특별한 데 있는 것이 아니라 아주 사소한 데 있다."

이를테면 평소에 보통 사람들이 관심을 기울이지 않거나 너무나도 당연하게 생각했던 것들로부터 시작된다는 것이다. 결국 그 핵심은 기본으로 돌아가는 것이며 사람을 대하는 태도에 달려 있다고 한다. 고마운 일에 감사할 줄 아는 자세, 실수했을 때 진심으로 사과하는 마음, 상대방을 배려하는 친절한 마음, 다른 사람의 목소리를 경청하는 태도와 같이 사소한 것들을 중시해야 한다는 것이다.

그중에 톰 피터스는 경청의 특별함을 강조했다.

"타인을 만족시키는 가장 탁월한 방법은 그들의 말을 경청하는 것이다. 20세기가 말하고 명령하는 자의 시대였다면, 21세기는 귀 기울여 경청하는 자가 리더가 되는 시대가 될 것이다."

『성공하는 사람들의 7가지 습관』의 저자인 스티븐 코비(Stephen R. Covey)는 7가지 습관 중 5번 항목으로 "경청한 다음 이해시켜라."를 꼽으면서 그 중요성에 주목하고 있다. 사람들은 다른 사람의 말을 들을 때 보통 다음의 5가지 수준 중 하나로 듣고 있다고 한다.

하나, 그 사람의 말을 무시하는 경우. 둘, "응, 그래." 하면서 맞장구치며 듣는 체하는 경우. 셋, 선택적인 청취로 어느 특정한 부분만 듣는 경우. 넷, 신중한 경청으로 상대방의 말에 총력을 기울이는 경우. 다섯, 가장 고차원적인 수준에 해당하는 것으로 공감하는 경청의 단계다. 여기서 공감하는 경청은 남을 이해하려는 의도를 갖고 듣는 것이며 다른 사람의 관점에서 사물을 보는 것을 말한다. 귀로 말을 들을 뿐만 아니라 눈과 가슴으로 함께 듣는 것이다. 이때 사람들은 그 말이 갖는 느낌과 의미를 경청할 수 있다는 것이다.

스티븐 코비는 당연히 마지막 공감하는 경청을 강조하며 그 중요성을 다음과 같이 역설한다.

"성공하는 사람과 그렇지 못한 사람의 대화 습관엔 뚜렷한 차이가 있습니다. 그 차이를 단 하나만 들라고 한다면, 나는 주저 없이 '경청하는 습관'을 들 것입니다."

잘 알다시피 세종대왕은 여러 부문에서 탁월한 업적을 이룬 다관왕 대왕이다. '듣기 기술'에 있어서의 최고봉도 역시 세종대왕이다. 어느 시대든 세금은 그 시대를 살아가는 사람들에게 가장 중요한 이슈 중의 하나다. 세종 시대에도 과세기준에 대한 고민이 많았다. 이에 세종대왕은 새로운 세법인 '공법(貢法)'을 마련한다. 그런데 세종은 이러한 새로운 세법을 실시하기에 앞서 위로는 고관부터 아래로는 농민까지 약 17만 명에게 찬성과

반대 의견을 물었다고 한다. 지금으로 치면 국민투표를 실시한 것이나 마찬가지다. 당시의 인구수를 생각해 본다면 17만 명이 투표에 참가했다는 것은 참정권이 없는 노비나 여성을 제외하면 거의 전 백성이 참여한 것이라고 할 수 있다. 어느 군주도 감히 상상하지 못했던 청정(聽政)의 사례다. 찬성 비율이 높았지만 반대 의견을 또다시 수렴하고 논의해서 자그마치 14년 후에나 세제로 확정했다.

세종은 부왕 태종으로부터 일찍이 "일의 대체를 안다."고 평가받을 만큼 통찰력이 뛰어난 임금이었다. 그럼에도 불구하고 신하들을 자주 불러 거리낌 없이 직언할 수 있도록 하고, 또한 그들의 의견에 힘을 실어주었다.

역사상 세종 시대가 더욱 빛을 발하는 것은 이러한 세종의 '경청' 리더십에 힘입은 바가 크다고 할 수 있다. 세종의 '경청 기적'은 여기에서 그치지 않는다. 잠시 세종 시대로 돌아가서 세종과 두 신하 간의 삼자회의를 참관해 보자. 다음은 〈DBR(동아 비즈니스리뷰)〉(2014.5)에서 발췌한 글이다.

세종 1년 1월 11일 편전에서 세종이 신하들과 정사를 논의한 뒤 자연스럽게 술자리를 가질 때다. 명나라 황제를 만나고 돌아온 노대신 김점이 먼저 입을 열었다. 그는 "전하께서 국정을 운영하려면 명나라 황제의 법도를 따르는 것이 마땅합니다."라고 말했다. 그는 자신의 의견을 전하면서 젊은 임금을 가르치려 했던 것으로 보인다. 세종도 말뜻을 헤아리고 있었다. 하지만 예조판서 허조(許稠, 1369~1439)는 "명나라의 법은 본받을 것도 있지만 본받지 못할 것도 있다."라며 반박했다. 이에 김점은 허조의 말을 다시 맞받아쳤다. 그는 "명나라의 황제가 직접 죄수를 끌어내서 자세하게 심문하는 것을 봤다."며 세종도 본받기를 바란다고 강조했다. 허조는 "그렇지 않다. 해당 업무를 맡아보는 관청을 두는 이유는 각각의 직무를 분담하고자 한 것이다. 그런데 이를 무시하고 임금이 크고 작은 일을 가리지 않고 한다면 이치에 맞지 않다."며 자신의 주장을 굽히지 않았다. 허조와 김점은 이날 임금 앞에서 토론의 수위를 한껏 높였다.

이들이 논쟁을 벌인 주제는 왕의 국정운영 스타일에 관한 갑론을박이다. 주제로만 본다면 망령되고 불경스러운 것이 아닐 수 없다. 임금은 신하들이 자신의 정치 스타일을 논하는 자리가 불편하고 기분이 나쁠 수도 있다. 하지만 세종은 토론에 개입하지 않고 끝까지 경청했다. 그리고는 토론의 승자로는 허조의 손을 들어줬다. 당시 사관은 "김점은 발언할 적마다 지루하고 번거로우며 노기를 얼굴에 띠었는데, 허조는 서서히 반박하되 낯빛이 화평하고 말이 간략했다. 임금은 허조를 옳게 여기고 김점을 그르게 여겼다."고 적었다.

세종은 두 신하가 "왕은 이래야 한다, 저래야 한다."며 논쟁하는 상황에서도 끝까지 함구했다. 말하고 싶은 유혹을 매우 잘 참았다. 세종은 신하들에게 어떤 의견이든 제시하게 했다. 임금의 국정운영 스타일과 관련된 김점과 허조의 논쟁은 신하들이 하기에는 다소 무리가 따르는 내용이 담길 수밖에 없었다. 임금에게 대놓고 말하는 것은 아니라도 세종은 무안할 수밖에 없다. 그럼에도 세종은 신하들의 의견을 경청했다. 이런 세종의 '다사리 정신'을 높이 평가해야 한다. 다사리는 "다 사뢰게 하고 그렇게 해서 다 살게 한다."는 뜻으로 독립운동가 안재홍 선생이 한 말이다. 세종은 신하들에게 다사리를 할 수있도록 자유롭고 창의적인 토론 분위기를 유도했다. 우리는 세종의 다사리 정신과 경험을 배워야 할 것이다.

'경청의 달인'이라는 세종의 명성은 데이터에 의해서도 명확히 증명되고 있다. 잘 알려진 것처럼 조선시대에는 경연이라는 제도가 있었다. 왕과 신하가 함께 모여 공부하는 것이다. 또한 신하들의 쓴소리 등 여러 의견을 듣는 시간이다. 세종의 재위기간은 32년인데 그 기간 동안 경연에 참석한 횟수는 1,898회였다고 한다. 역사는 세종을 성종, 영조와 함께 경연에 많이 참석한 임금으로 기록하고 있다.

경청은 곧 소통으로 이어진다. 소통을 잘 하는 지도자는 훌륭한 지도자로 이어진다. 세종이 더 훌륭한 임금인 '대왕'의 평가를 받는 데에는 이러한 경청 능력에 힘입은 바 컸을 것이다.

잘 듣는 것이 잘 말하는 것보다 어렵다

당신은 다음 질문에 대하여 어떻게 대답하겠는가? 말을 하는 편이 쉬울까? 아니면 말을 듣는 편이 쉬울까?

아마도 말을 하는 것이 듣는 것보다 어렵다고 대답할 것이다. 나도 그와 같이 생각하고 있다. 그런데 실상은 듣는 것이 더 어렵다고 한다. 우리가 태어나서 말을 배우는 데는 대략 2년이라는 시간이 걸리고 침묵을 배우는 데는 60년이라는 시간이 걸린다고 공자(孔子)는 말한다.

그만큼 듣는 것이 어렵다는 말일 것이다.

경청지수. 내가 만들어낸 말이다. 경청지수를 가지고 스스로 경청 수준을 체크해 보는 것도 의미 있을 것이다. 경청지수라고 하는 것은 SOV(Share of Voice), 다시 말해 목소리 점유율이라고도 할 수 있다. 결론적으로 목소리 점유율이 높으면 그만큼 경청지수가 낮아진다. 상대방에 비해서 혼자 오랜 시간 말을 많이 한다는 의미이기 때문이다. 당신은 평소 대화를 하는 데 있어서 상대방보다 말을 더 많이 하는 편인가? 아니면 주로 상대방의 이야기를 듣는 편인가?

어느 소통 관련 전문가는 소통 대화의 핵심은 '로테이션 (Rotation)'과 '리액션(Reaction)'이라고 소개하고 있다. 여기서 로테이션이라고 하는 것은 단어의 뜻과 같이 대화에 참여한 사람들 각자가 순번대로 돌아가면서 이야기하는 것이다. 1/n로 이야기를 하게 되니까 자연스럽게 남의 말도 듣게 되어 소통 측면에서는 유효한 대화법이다. 물론 꿀 먹은 벙어리 입장을 자처하는 사람에게는 부담이라는 부작용도 발생할 수 있다.

또 다른 하나는 상대방의 이야기에 추임새를 넣는 것이다. 추임새는 판소리에서 창을 하는 중간중간에 '얼씨구', '으이', '허', '좋다' 등의 감탄사를 넣어주는 것이다. 노래 부르는 사람의 흥을 돋을 뿐 아니라 다음 구절을 유발하는 데에도 큰 구실을 한다. 사실 판소리에서 창, 발림, 아니리만큼 중요한 요소로 꼽히는 것이 고수의 추임새다. 마찬가지로 이야기를 나눌 때도 추임새가 무척 중요하다. 추임새는 말하는 사람의 흥을 돋을 뿐 아니라 다음 이야기를 이끌어내는 데에도 중요한 역할을 한다. 텔레비전 예능 프로그램의 재미도 어쩌면 추임새나 리액션이 좌우한다고 해도 과언이 아니다. 출연자 서로 간의 찰떡 소통은 시청자들에게는 재미라는 요소로 전달된다.

경청이란 상대방과 대화할 때, 그들이 하는 말을 존중의 마음을 가지고 귀 기울여 듣는 것이다. 요컨대 듣는다는 것, 그것은 제대로 집중해서 들어야 함을 의미한다. 물고기가 촉수로 세상을 세세하게 느끼고 인식하듯이 상대의 표정, 눈빛, 태도, 손동작, 움직임 등을 하나하나 파악하면서 들어야 한다. 물론 티 나지 않게 해야 한다. 그래야만 말하는 상대의 생각과 마음을 이해하고 공감하고 읽어낼 수 있다. 사람이 무언가 뜻을 이루려면 상대방의 마음을 움직여야 한다. 경청은 그래서 만사의 시작이다.

경청이라는 글자에서 청(聽) 자를 분해해 보면 그 의미가 더욱 쉽게 드러난다. 청(聽) 자를 물 위에 둥실 띄워본다고 상상해 보자. 청 자를 구성하고 있는 6개의 한자로 하나씩 하나씩 나누어지게 될 것이다. 6개의 한자는 耳(귀 이), 王(임금 왕), 十(열 십), 目(눈 목), 一(한 일), 心(마음 심)이다.

먼저 耳(귀 이), 王(임금 왕)의 의미다. 경청은 상대방의 말을 임금님 말씀이라 여기고 귀담아 집중해서 듣는 것이다.

다음은 十(열 십), 目(눈 목)이다. 경청은 열 개의 눈으로 상대방의 의견을 듣는 것이다. 보는 눈에서부터 마음의 눈, 몸집의 눈, 표정의 눈 등. 그렇게 들으면 상대방의 진실에 확실하게 다가갈 수 있다.

마지막으로 一(한 일), 心(마음 심)이다. 경청은 '한마음'이다. 상대방의 마음과 하나가 되어서 들어야 한다.

경청의 의미가 귀에 쏙쏙 들어오지 않는가?

당신의 경청 수준을 가늠해 보는 기준으로 삼아도 좋을 듯하다.

경청과 우문현답

우문현답(愚問賢答)이라는 말이 있다. 말 그대로 어리석은 질문임에도 현명하게 대답하거나, 문제의 본질을 짚지 못한 질문을 받고도 정확하게 답변할 때 쓰는 표현이다.

그런데 우문현답에는 실생활에서 더 자주 활용되는 다른 의미가 있다. "우리의 문제는 현장에 답이 있다."라거나 "우려되는 문제는 현장에 답이 있다."라는 의미가 바로 그것이다. 어찌 보면 말장난일 수도 있지만 나의 경험에 비추어보면 공감 100퍼센트다. 주로 현장의 중요성을 강조할 때 사용한다. 범인을 잡기 위해서는 반드시 범죄 현장에 가봐야 한다는 수사의 기본 원칙과 같은 이치다. 경청은 생생한 현장의 목소리를 듣는 것이다.

현지현물(現地現物). 일본의 세계적인 자동차 회사인 도요타의 가치관 및 철학이라고 할 수 있는 '도요타 웨이(Toyota Way)'의 기본 덕목 중 하나다. "자신이 한 일의 결과를 현지에서 분명히 확인하라."는 의미로 현장에서 보고 듣는 것이 무엇보다 중요하다는 것이다. 역시 현장 경청의 중요성을 웅변한다.

어느 유능한 마케터의 이야기다. 그는 프로젝트가 발생할 때마다 제일 먼저 가보는 곳이 있다. 바로 제품이 소비자와 만나는 구매접점, 즉 현장을 찾아간다. 온종일 커피숍에 죽치고 앉아서 젊은이들의 눈과 입을 관찰한다. 전철을 타고 정처 없이 이 역 저 역을 오가면서 사람들의 요모조모를 살피기도 한다. 주고받는 대화 내용에 귀를 쫑긋 세운다. 문제 해결의 팁을 구하기 위해서다. 주말이라고 편히 쉬지 않는다. 아내와 함께 하는 장보기를 주저하지 않는다. 그가 정녕 장만 보러 가는 것일까? 그의 속셈은 주부들의 구매 습관에 대한 궁금증을 해결하기 위함이다. 이 모든 것이 소비자가 원하는 바를 더 생생히 듣고자 하는 진정성 있는 경청의 자세가 아니고 무엇이겠는가? 그는 역량 있는 사람으로 평가받고 있으며 자신의 높은 존재가치를 과시한다. 이는 진정한 경청의 자세에 힘입은 바 크다.

TV에서 사극을 볼 때면 임금이 잠행하는 장면이 나온다. 여기서 잠행이라는 말은 미복잠행을 말한다. 무엇을 몰래 살피기 위해서 남루한 옷차림을 하고 남모르게 다니는 것이다. 백성들의 생활 모습을 두 눈으로 직접 살피어 국가 경영의 문제점과 해결책을 찾고자 함이다. 오늘날로 치면 대통령의 민정 시찰이고 기업의 현장 경영이다. 자리에 앉아서 보고만 받다 보면 진실을 놓친다. 올바른 경청이 될 수 없기 때문이다.

옛날에는 이밖에도 현장을 중시하는 창의적인 경청이 많았다. 경청 부재의 오늘날과 대비되는 점이다. 백성들은 원통한 사연을 글로 써서 왕에게 알렸다. 상소였다. 글을 모르는 사람은 궐

밖에 설치된 북을 쳐서 왕에게 억울한 사연을 전달했다. 신문고였다. 왕은 행차할 때 백성들이 꽹과리나 징을 치면 멈춰서 사연을 들어주었다. 격쟁(擊錚)이었다. 조선왕조 오백 년은 이런 경청의 노력이 있었기에 가능했다.

자칫 잘못하면 현장에서 답을 찾기보다는 오히려 답을 지워 버리는 경우가 생길 수 있다. 바로 현장의 목소리를 듣고자 하는 진정성이 결여된 경우다. 감시하러 온 것인지 아니면 보여주기식의 전시 효과만을 노리고 온 것인지 구분이 안 되는 경우가 그것이다. 경청의 자세가 될 수 없다.

유독 정치인들이 이러한 경우로부터 자유롭지 못한 듯하다. 특히 재래시장 방문의 경우가 그렇다. 물론 재래시장에 방문해서 상인들의 이야기를 직접 듣고 민심의 흐름을 파악하는 것은 대단히 중요하다. 그런데 평상시에는 가만히 있다가 유독 선거철만 되면 필수 코스인 양 찾아가서 악수하고 사진을 찍는다. 이러한 거북함이 나만의 느낌이었으면 좋겠다. 매사 그렇듯이 올바른 경청은 진정성이 전제되어야 한다.

경청과 지음

한 이동통신사 광고를 담당했을 때의 일이다. 클라이언트 CEO에게 중요한 보고를 해야 했는데, 그 보고의 주제가 '지음(知音)'이었다. 지음은 그 이동통신사의 새로운 서비스 이름이었다. 목소리만 들어도 서로의 마음까지 알 수 있을 만큼 깨끗한 통화품질을 제공한다는 의미였다. 지음의 본래 의미를 자사 서비스 상품에 이식하는 전략을 취한 것이다. 약 2시간에 걸친 보고를 받고 나서 CEO께서 코멘트를 했다. 핵심인 '지음'에 대한 통찰의 깊이가 부족하다는 지적이었다. 그러면서 생각을 발전시키는 데 참고하라며 즉석에서 화이트보드 위에 '지음'과 연관된 시를 적었다. 신라 말기 문신이며 유학자이고 당대의 문장가인 최치원의 〈추야우중〉이라는 시였다.

秋風唯苦吟(추풍유고음)
世路少知音(세로소지음)
窓外三更雨(창외삼경우)
燈前萬里心(등전만리심)
가을바람에 오직 괴로운 마음으로 시를 읊으니,
세상에 나의 시를 아는 사람이 적구나.
창밖에 밤 깊도록 비가 내리고,
등불 앞에는 만 리 고향을 향한 마음만이 서성이네.

첨단 IT회사에서 한시(漢詩)와 함께 그 옛날의 풍류를 느낀 인상 깊은 보고 시간이었다. 통신의 본질은 소통이고 소통에 있어서 최고의 경지는 비유적으로 볼 때 '지음'이라는 요지의 코멘트였다. 결론적으로 지음을 '지음의 경지'에 이를 수 있게 하는 광고 캠페인이 필요하다는 것이었다. 소통의 궁극적인 목표는 지음이다. 그리고 지음의 본질은 '경청'이다. 이를테면 백아가 연주하는 곡을 듣고 백아의 마음속을 알아채곤 했던 종자기(鍾子期)의 듣기가 바로 그것이다.

"이제 명필이 되었네. 지금부터 너는 추사 김정희다."
초등학교 때 붓글씨 대회에서 상을 받은 적이 있다. 그때 선생님이 한 칭찬의 말이다. 나는 악필의 대명사였다. 아버지 손에 이끌려 억지로 서예반에 들어갔다. 어느 날 선생님이 "정웅이는 글씨 재능이 있다."고 말했다. 더 열심히 썼다. 나를 알아주었기 때문이다. 지음(知音)의 원래 의미는 나를 알아주는 친구다. 선생님이 친구는 아니지만 나를 알아주고 나의 이야기를 수준에 맞게 들어준 '귀 높이' 선생님이었다.
이제 두 가지의 높이를 잘 맞추어야 한다. 하나는 눈높이고 또다른 하나는 경청의 귀 높이다.

유방과 항우

유방(劉邦, B.C. 256~195)과 항우(項羽, B.C. 232~202)의 라이벌전도 경청의 눈으로 보면 흥미롭다. 결과는 잘 아는 바와 같이 유방이 승리했다. 그러나 당시의 승률을 놓고 보면 최종 결과와는 다르게 항우가 훨씬 우세했다. 항우의 패배가 유방의 승리보다 더 많이 기억되고 있는 이유 중 하나다.
항우는 역사상 가장 슬픈 패배가를 남겼다. 〈해하가(垓下歌)〉가

바로 그것인데, 자신의 기막힌 상황과 애희 우미인을 걱정하는
심경을 토해냈다.

力拔山兮氣蓋世(역발산혜기개세)
時不利兮騅不逝(시불리혜추불서)
騅不逝兮可奈何(추불서혜가내하)
虞兮虞兮奈若何(우혜우혜내약하)
힘은 산을 뽑고 기개는 세상을 덮건만,
때가 불리하니 오추마도 달리려 하지 않는구나.
오추마가 더는 내딛지 않으니 이를 어찌할 것인가.
우여, 우여, 그대를 어찌해야 할 것인가.

유방과의 대결에서 연전연승하며 단 한 번의 패배도 허락지
않았던 항우였지만, 그의 첫 패배는 곧 그의 영원한 패배가 되
었다. 15라운드 권투 경기에서 14라운드를 일방적으로 우세하
게 펼치다가 마지막 라운드에서 상대의 카운터펀치를 맞고 KO
패 당한 격이다.

마치 세계 권투사에 빛나는 1974년도의 무하마드 알리
(Muhammad Ali, 1942~2016)와 조지 포먼(George Foreman)
의 경기를 보는 듯하다. 조지 포먼이 시종 우세한 경기를 펼치
면서 알리를 몰아붙였다. 많은 시청자는 조지 포먼의 승리를 점

쳤다. 그러나 무하마드 알리가 순식간에 조지 포먼을 다운시키고 KO로 경기를 끝내버렸다. 무하마드 알리의 단 한 번의 공격이었다고 해도 과언이 아닌 경기였다.

진시황 이후 천하의 주인이 되고자 최후까지 치열한 전투를 벌였던 두 사람. 전쟁 역사상 가장 드라마틱한 스토리를 만든 두 사람. 스토리의 주인공은 유방이었고 천하의 주인도 역시 유방이었다. 사실 항우의 패배는 일견 불가사의한 면이 적지 않다. 항우와 유방은 달라도 너무나 달랐다. 일단 스펙 자체가 비교되지 않는다. 항우는 귀족 집안 출신이었고, 유방은 시골 건달 출신이었다. 당신은 항우의 패배 원인이 무엇이라 생각하는가? 나는 경청 기술의 차이가 패배의 원인 가운데 하나라고 생각한다. 항우는 부하들에 대하여 유방보다 '지음'하지 못했다.

항우는 '내가(I)'라고 말하고 유방은 '우리가(we)'라고 말한다. 항우는 '용(勇)장'이고 유방은 '덕(德)장'이다. 항우는 '일방(one way)'이고 유방은 '쌍방(two way)'이다. 유방은 눈높이, 귀 높이를 맞추는 전략이었고, 항우는 상대적으로 그렇지 못했다.

경청은 사람의 마음을 얻고 리더십을 얻고 승리를 얻을 수 있는 대단히 중요한 역량이다.

자연의 소리와 경청

봄의 소리.

미국의 사상가이자 시인인 랄프 왈도 에머슨(Ralph Waldo Emerson, 1803~1882)은 '자연은 인간의 학교'라는 말을 남겼다. 자연 속에 생명이 있고 지혜가 있다는 의미다. 그 자연의 소리를 듣는 것은 자연으로부터 인생의 소중한 선물을 받는 것일지도 모른다. 사람과 사람 사이의 경청이 지치고 힘들 때 자연에의 경청을 통하여 잠시 쉬어가는 시간을 가져 보자.

내가 으뜸으로 꼽는 봄의 전령사는 복수초다. 복수초는 겨울이 채 가기도 전에 꽃을 피우고 다른 식물들이 막 신록을 뽐내는 5월에는 서둘러 긴 휴면에 들어간다. 복수초의 이러한 예사롭지 않음은 그 이름 속에 고스란히 반영되어 나타난다. 꽃이 황금색 잔처럼 생겼다고 측금잔화라고도 부르고, 새해 들어 가장 먼저 피는 꽃이라는 뜻에서 원일초, 눈 속에 피는 연꽃 같다고 설연화, 쌓인 눈을 뚫고 나와 꽃이 피면 그 주위가 동그랗게 녹아 구멍이 난다고 눈색이꽃, 얼음새꽃이라고 부른다. 꽃말은 '영원한 행복' '슬픈 추억'이다. 혹독한 추위와 시련을 이겨내고 눈과 얼음을 뚫고 나와서 꽃을 피우기에 고난 극복의 상징으로도 여겨진다. 그만큼 외롭기도 한 꽃이다.

어느 날 봄을 맞이하기 위해서 인근에 있는 뚝섬유원지를 거닐었다. 문득 이곳에서 예전에는 경험해 보지 못했던 낯설음을 느꼈다. 이 묘한 느낌이 무엇인가를 알고자 주변을 둘러보았다. 낯설음의 실체를 발견했다. 바로 '청보리밭'이었다. 잔디보다 조금 높게 자랐는데 푸릇푸릇함이 한강 주변을 가득 채우고도 남았다.

나도 청보리는 말로만 들었었는데 직접 보니 반갑기도 하고 한편 궁금하기도 했다. 서울 뚝섬유원지에 웬 청보리밭인가? 이 이색적인 풍경이 연출하는 느낌은 신선했다. 청보리는 누른빛을 띠는 일반 보리와 달리 푸른빛을 띠는 특성이 있다. 푸른빛을 띠고 있어서 덜 익은 보리로 착각하는 경우도 있지만 영양가나 용도는 일반 황보리와 비슷하다고 한다. 청보리를 소개하기 위해서 서울시가 청보리로 유명한 전라북도 고창군과 자매결연을 맺고서 청보리밭을 마련한 것이었다. 푸른 잔디밭처럼 보이는 청보리가 신기했는지 주변에 사람들이 몰려들었다. 그중에 어느 분이 이런 말을 했다.

"올해는 봄이 오는 소리가 색다른데!"

그 말이 귀에 턱하고 걸렸다. '봄이 오는 소리라?'

봄은 시작과 풍요, 그리고 부활을 의미한다. 만물의 근원을 다시 얻어 희망으로 소생한다. 봄의 소리를 들어 보자. 봄이 전해 주는 인생의 의미를 되새겨 보자. 졸졸졸 흐르는 시냇물 소리, 강남 갔던 제비가 돌아오는 소리, 삐악삐악 병아리 소리, 봄비가 대지를 촉촉이 적시는 소리, 개나리가 잔뜩 피어서 당신을 부르는 소리, 이 산 저 산에서 부는 봄바람 소리.

추억의 소리든 현재의 소리든 봄의 소리를 '경청'하면서 지냈으면 한다.

여름의 소리.

멀리서 바라보는 여름의 모습은 풍성함이다. 산과 들은 녹음으로 뒤덮여 있고 강과 바다는 시원함으로 넘실댄다. 그러나 여름의 가까운 모습은 원경처럼 근사하지 못하다. 이글거리는 태양의 열기만큼이나 사람의 몸에서는 땀을 토해내야 하기 때문이다.

여름 성악가 매미는 밤과 낮을 가리지 않고 귀가 따가울 정도로 노래를 부르며 여름을 찬양한다. 파리, 모기, 나방, 하루살이 등 여름 불청객들도 그들만의 신나는 한 시즌을 보낸다. 만물이 준동하는 여름에는 어떤 소리에 귀를 기울여야 할까? 여름은 태양의 계절이다. 태양이 빚어내는 장엄한 여름의 아우성을 듣기 위해서는 여름 속으로 풍덩 빠져보는 것이 최상의 방법이다.

여름에 제주도로 가족여행을 다녀왔다. 절물자연휴양림을 찾았다. 자료에 의하면 도시의 묵은 때와 세상의 근심을 씻어내기에 좋은 곳이라고 했다. 하늘로 쭉쭉 뻗어 올라간 삼나무들이

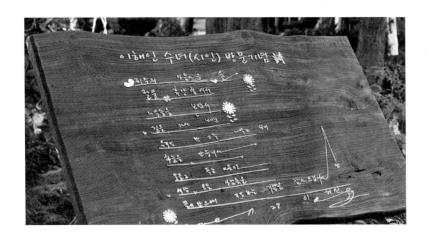

거대한 숲을 만들고 상쾌한 향기도 뿜어냈다. 풍성한 그늘도 만들어 주었다. 무더위가 막판 기승을 부리던 시기였다. 그 더위에 몸과 마음이 녹초가 되었는데 휴양림의 녹음이 그 피로감을 없애주었다. 녹음의 고마움을 절절히 느끼고 있었는데 이해인 수녀님의 휴양림 방문기념 시가 나의 마음을 대변해 주었다.

한 그루의 나무가 이러한 축복의 그늘을 만들어 주는데, 나는 그 누구에게 한 번의 그늘이라도 되어 주었는지 자문해 보았다. 나아가 "연탄재 함부로 발로 차지 마라, 너는 누구에게 한 번이라도 뜨거운 사람이었느냐."라고 하는 안도현 시인의 시를 다시 생각해 보는 시간이기도 했다.

여름에는 녹음의 고마움을 경청하는 당신이 되면 좋겠다.

여름은 또한 땀의 계절이다. 만물이 가을의 풍성한 결실을 향

하여 힘껏 성장하는 시기다. 등산으로 비유하자면 정상을 향하
여 오르고 또 오르는 힘겨운 중간 과정이다.

여름철에는 종종 시골에 내려가서 농사일을 거들곤 한다. 어
느 해인가 콩을 따는 일에 투입된 적이 있었다. 일명 울타리콩
이다. 울타리콩은 강낭콩의 일종인데 울타리 밑에서 쑥쑥 잘 자
란다고 해서 그런 이름이 붙여졌다. 뙤약볕이 쨍쨍 내리쬐는
날, 콩넝쿨 속은 견디기 어려운 한증막 속이나 다름없다. 때로
는 눈도 찔리고 손과 팔뚝에 상처도 난다. 옷은 땀으로 흥건히
젖어 오히려 움직이는 동작을 둔하게까지 한다. 몸을 아래로 굽
혀서 따야 하기에 허리는 끊어질 듯 아프다.

여름이 되면 "흘린 땀은 배신을 하지 않는다."라는 말이 현실
에 딱 들어맞으면 좋겠다는 생각을 한다. 땀 흘리며 일하는 사
람들의 모습을 많이 보게 되기 때문이다. 그들이 열심히 땀 흘
린 만큼의 보답을 얻기를 희망해 본다. 무더운 여름에는 땀의
의미를 경청하는 당신이 되면 좋겠다.

가을의 소리.

나에게 가을은 밀레(Jean Francois Millet, 1814~1875)의 〈
이삭 줍는 여인들〉이다. 수확이 끝난 들판에서 건초더미를 한
쪽에 쌓아 놓고 남루한 옷차림의 세 여인이 허리를 굽히고 이삭
을 줍는 바로 그 그림이다. 19세기 대표적인 자연주의, 사실주

의 작품으로 알려져 있는 그림이기도 하다. 나는 이 목가적 풍경의 그림에서 두 가지 소리를 듣는다.

첫 번째 소리는 땡땡땡 학교 종소리다.

나의 어린 시절에도 벼 이삭, 보리 이삭줍기가 있었다. 들판에 떨어져 있는 이삭을 주워서 일정량을 제출하는 것이다. 그 당시 이삭줍기는 고통스러운 과제였다. 이삭을 실제로 주워 오는 친구는 많지 않았다. '불편한 진실'의 방법으로 숙제를 해결했다. 집에서 퍼오는 방법이었다.

그리고 동네 이발소에 가면 이 밀레의 이삭줍기 그림이 걸려 있었다. 그 그림을 보고 있자면 머릿속이 혼란스러웠다. 이삭줍기 트라우마 때문이었다(이삭줍기의 트라우마는 별도의 에피소드와 함께 제1장 '신독'에서 소개했다).

두 번째 소리는 가을의 본질적인 소리다.

멀리 보이는 타작마당의 풍요로움과 가까이에 보이는 가난한 세 여인과의 긴장된 대비 관계가 바로 그것이다. 가을은 그런 것 같다. 가을의 이미지는 밀물과 썰물이 공존하는 바닷가다. 채움이 있는가 하면 빠져나가는 허전함이 있다. 화려함과 쓸쓸함. 그래서 가을은 두 얼굴을 가진 계절이다.

가을의 얼굴 하나.

가을의 들과 산에는 오곡백과가 가득하다. 길에서 만나는 이름 모를 들꽃들도 흥이 넘쳐 보인다. 코스모스는 가을바람에 하늘하늘 춤을 추며 온 세상을 신나게 한다. 잠자리 떼는 앞을 볼수 없게 뭉쳐 날아다닌다. 울긋불긋 아름다운 단풍은 가을의 주인공임을 뽐내고 있다.

가을의 얼굴 둘.

가을의 또 다른 얼굴은 분위기가 사뭇 다르다. 앙상한 나뭇가지에 몇 개 남은 나뭇잎의 쓸쓸함이 있다. 아무도 모르는 다람쥐 길의 외로움이 있다. 싱그럽던 초록이 빛바랜 갈색으로 변하면서 많은 사연을 만들어낸다.

가을의 소리에서 인생의 풍성한 소리를 경청하는 당신이 되면 좋겠다.

겨울의 소리.

겨울은 죽음과 암흑의 상징이면서도 새로운 생명의 잉태를 준비하는 극과 극의 계절이다. 우리는 당연히 후자의 의미를 택해야 한다. 겨울이라는 계절이 있기에 봄이 그렇게 화려한 것이다. 겨울이 없다면, 봄은 그리 즐겁지 않을 것이다.

"고난을 맛보지 않았다면, 성공이 그리 반갑지 않을 것이다."
– 앤브래드 스트리트(Anne Bradstreet, 1612~1672)

겨울은 동계 훈련의 계절이다.

한 해를 분석하고 새로이 다음 해의 목표를 세운다. 거기에 맞추어 훈련을 집중하고 각종 강도 높은 훈련 프로그램을 도입한다. 새로운 한 시즌의 성적은 동계훈련의 질에 좌우된다. 우리 스스로도 삶의 동계훈련을 실시해야 한다. 부족했던 부분을 보완해야 한다. 도서관에서 책과 씨름할 수도 있고 동호회에서 땀을 흘릴 수도 있다. 새 봄과 함께 힘찬 새로운 날갯짓을 할 수 있도록 준비해야 한다.

김정희, 〈세한도〉, 1844년

겨울은 세한도의 계절이다.

〈세한도〉는 제주도에 유배 중이던 추사 김정희가 제자 이상적에게 그려준 그림이다. 국보 제180호이자 조선 문인화의 걸작으로 평가받고 있기도 하다. 추사가 제주도에 유배되자 그간 알고 지내던 사람들 대부분이 발길을 끊었으나 그의 제자 이상적만은 그러지 않았다고 한다. 비록 시쳇말로 끈 떨어진 스승일지라도 진심으로 스승을 모시는 제자에게 추사가 마음을 담아 그린 그림이다.

한겨울의 추위에도 소나무와 잣나무 같은 푸르름을 잃지 않는 제자에 대한 고마움을 담은 것이다. 우리 스스로의 처지를 세한도에 대입하여 깨달음의 지혜를 얻어 보자.

겨울은 심판의 계절이다.

겨울이 없다면 만물은 생명을 지속할 수 없다. 가을에 땅에 떨어진 모든 씨앗에서 싹이 난다면 그 수가 너무 많아 하나도 살 수 없게 된다. 그 때문에 겨울은 추위라는 무기로 열매를 맺게 하는 씨앗만 남기고 나머지는 모두 죽게 만든다. 그래서 살아남은 것만 봄에 부활하여 생명을 이어가게 된다.

겨울이 있기에 봄, 여름, 가을에 활동할 수 있다.

사자는 자기 새끼를 벼랑에 떨어트린 후 살아남는 강한 새끼만을 키운다고 했다. 사자가 새끼에게 하는 것처럼 겨울이라는 계절은 우리를 벼랑에 떨어트려 놓고 우리를 심판하는 시험 기간인지도 모르겠다. 겨울은 이런 것이다. 시련의 계절이자 자신을 시험해 볼 수 있는 계절이다. 따라서 자신을 더욱더 강하게 만들 수 있는 계절이기도 하다. 프랭클린(Benjamin Franklin, 1706~1790)은 "겨울의 추위가 심할수록 이듬해 봄의 나뭇잎은 한층 더 푸르다."고 했다. 겨울의 의미가 전하는 메시지를 경청하면서 겨울을 보내는 당신이면 좋겠다.

변화의 소리와 경청

개구리 이야기다. 논이나 연못 속에서 건져 올린 개구리 알의 미끈한 촉감이 아직도 생생하다. 올챙이가 개구리 모습으로 변해 가는 것을 지켜보는 일은 신기한 체험이다. 부슬부슬 비가 내리면 개구리는 왜 그렇게 울어댔는가. 노랫말에 나오는 것처럼 개굴개굴 개구리는 목청도 좋다.

추억 많은 개구리에게 미안한 이야기를 해야겠다. 결론적으로 "개구리처럼 되지 말아야 한다."는 것이다. 개구리는 시대에 뒤처지고 변화에 적응 못하는 것에 대한 상징이다.

먼저 '우물 안의 개구리' 이야기를 하지 않을 수 없다. 많이 알려져 있듯이 우물 안의 개구리는 『장자(莊子)』 〈추수편(秋水篇)〉에 나오는 말이다. 장자에는 '정저와'라고만 나와 있는데, 우리에게는 '정저지와'로 친숙하게 사용되고 있다. 견문이 좁아서 넓은 세상의 사정을 모르는 것에 빗대어 이르는 말이다. 지난 시절 우리나라의 스포츠 수준을 이야기할 때 언론에서 많이 사용하던 말이기도 하다. 물론 지금은 해당되지 않는다. 월드컵 4강에도 오른 바가 있고 많은 선수들이 글로벌 차원에서 맹활약을 하고 있으니까. 변화의 소리에 둔감하여 현재 있는 곳에만 사로잡혀 있으면 우물 안의 개구리 소리를 듣게 된다.

'귀의 아인슈타인'이라고 불리는 프랑스 의학자 알프레 토마티

(Alfred Tomatis, 1920~2001)는 '히어링(Hearing)'은 귀에 들려오는 소리를 듣고 무심히 흘려보내는 수동적인 듣기인 반면 '리스닝(listening)'은 의식을 집중해서 정보를 모은 뒤에 이를 분석하여 뇌로 보내는 '능동적 듣기'라고 했다.

말하자면 듣는 지혜와 기술이 친구나 연인 사이는 물론 가족관계, 직장생활에서도 매우 중요하다며 리스닝을 개발해야 한다고 강조했다. 이러한 리스닝의 기술을 변화의 소리를 듣는 데에도 활용해야겠다.

영국의 그레고리 베이트슨(Gregory Bateson, 1904~1980)이라는 생태학자는 개구리 실험을 통하여 흥미로운 사실을 발견했다. 끓는 물속에 개구리를 집어넣으면 개구리는 곧바로 뛰쳐나오지만 미지근한 물에 개구리를 넣고 서서히 가열하면 대부분의 개구리들이 죽을 때까지 뛰쳐나오지 않는다고 한다. 상황적으로 보면 충분히 스스로 벗어날 수 있음에도 불구하고 뛰쳐나오지 못하고 죽어간다. 이러한 개구리 실험은 변화의 필요성을 강조하는 사례로 기업이나 경영자들이 많이 활용하고 있다. 기업, 국가, 사회의 각종 조직도 변화에 둔감하면 미지근한 물속에서 죽어가는 개구리 신세가 될 수도 있다는 우려 때문이다.

개구리의 굴욕사(史)는 여기서 멈추지 않는다. 형편이 어려웠던 사람이 지위가 높아지면 어려웠던 때의 일을 잊어버리고 처음부터 잘난 듯이 뽐내는 경우가 많다. 이럴 때 "개구리 올챙이 시절 모른다."는 말로 일갈하기도 한다. 이 말은 변화의 관점에서 보면 변화 부적응 현상에 해당한다. 법고창신(法古創新)이라고 했다. 본래의 것에 토대를 두되 그것을 변화시킬 줄 알아야 하고, 새로운 것을 만들어 가되 근본을 잃지 않아야 한다.

철학자 알프레드 노스 화이트헤드(Alfred North Whitehead, 1861~1947)는 "진보의 기술은 변화 속에서 질서를 보존하고 질서 속에서 변화를 보존하는 것이다."라고 말했다.
예전에 비해서 더 좋아진 자신의 모습에 도취되어 행동한다면 면박을 피할 수 없을 것이다. 자기 변화에 대한 내면의 소리에 귀 기울여야 한다.

지난 몇 년을 되돌아보라. 많이 바뀌었을 것이다. 앞으로는 어떨 것인가? 앞으로의 변화는 더욱 예측하기 어려울 것이다. 변화의 소리에 경청해야 한다. 그러기 위해서는 이른바 '변화경청 기술'을 체득하는 데 더 많은 노력을 기울여야 한다. 당신만의 안테나를 세워서 변화를 감지하고 정보를 수집하라. 그리고 이것을 종합해서 당신의 것으로 만들어 더 좋은 변화를 도모하라. 귀동냥 실력이 곧 경쟁력이다.

4장. 설득

지언지심 양기입언

"남을 설득하려고 할 때에는
자기 스스로 먼저 감동하고
자기를 설득하는 데부터 시작해야 한다."

-토마스 칼라일(Thomas Carlyle, 1795~1881).
 평론가, 역사가.

왜 설득인가

당신은 다른 사람으로부터 어떤 말을 들었을 때 가장 기분이 나쁜가? 못 생겼다? 촌스럽다? 나의 경우는 "그 말이 설득력이 있다고 생각해? 제대로 설득해 보란 말이야."라는 말에 가장 가슴 아파했었던 것 같다. "설득력이 없다."라는 말은 "자네, 능력이 별로야."라는 말과 동격이다. 설득력이 있다는 것은 나의 의견을 효과적으로 전달하여 상대방과 공감을 이루게 하는 것이니 그 결과도 좋을 것이다. 좋은 결과는 자연스럽게 좋은 평가로 이어진다. 반면에 설득이 잘 이루어지지 않으면 나는 '어!'라고 이야기 했는데 상대방은 '아!'라고 이해한 것이나 다름이 없으니 좋은 결과로 이어질 가능성은 그만큼 낮다.

설득은 여러 가지 방법으로 말하여 상대방을 이해시키고 납득시켜서 행동하게 하는 것이다. 다시 말해 상대의 마음을 얻어 나의 뜻에 따르도록 하는 것이다. 우리의 하루하루는 어찌 보면 설득의 연속이다.

유치원생인 꼬마는 장난감을 갖고 싶어 한다. 엄마에게 아무리 졸라대도 엄마는 호락호락 사줄 생각을 않는다. 무작정 떼를 쓴다. 주위 사람들에게 자신의 억울함을 호소하기 위하여 목소리를 높여 운다. 그럴수록 엄마는 오히려 더 냉정해진다. 이 어린 꼬마도 엄마를 설득해야만 원하는 장난감을 손에 넣을 수 있다.

휴일에 아내와 종종 외식을 하고자 한다. 하지만 외식이 마냥 즐겁지만은 않다. 몇 차례의 설득 과정을 거쳐야 하기 때문이다. 집 근처로 갈까? 아니면 드라이브라도 할 겸해서 외곽으로 갈까? 한식, 중식, 일식 아니면 좀 특별한 다른 것은 없을까? 식당을 정하는 것에서부터 메뉴를 선택하기까지 역시 설득의 과정은 계속된다. 밥 한 끼에도 설득 논리와 원칙이 있어야 한다.

고교생을 대상으로 특강할 때 한 학생이 진로문제로 심각한 고민을 털어놓았다.

"저는 테니스 할 때가 제일 행복합니다. 재능이 있다는 소리도 많이 듣고 있습니다. 그러나 부모님은 반대합니다. 운동선수로 성공하기가 힘들다는 이유입니다. 공부 열심히 해서 안정된 대기업에 취직하거나 공무원이 되라고 합니다."

당신이라면 이 학생에게 어떻게 부모님을 설득하라고 조언해 줄 것인가?

열심히 일했고 성과도 좋았다. 그러나 평가가 기대만큼 높게 나오지 않았다. 보너스도 적게 나올 판이다. 상사에게 이의신청을 하려고 한다. 어떻게 상사를 설득해야 이의신청이 받아들여져서 주장한 대로의 결과를 얻을 수 있을까? 새로 나온 제품이 꽤 괜찮은 것 같다. 경쟁사와 한판 붙어볼 작정이다. 기필코 1등의 자리에 올라서고 싶다. 마케팅 역사에 길이 빛나는 전쟁을 해보고 싶다. 광고대행사에게도 미리 준비를 시켰다. 그런데 문제는 수십억의 예산이다. 팀장, 임원, CEO를 설득해야 한다. 의사결정권을 가진 상사들에게 결재를 받아내지 못하면, 설득하지 못하면 만사 도루묵이다.

심지어 대통령의 경우도 설득에 있어서는 자유롭지 못한 것 같다. 이거 해라! 저거 해라! 명령만 내리면 될 것 같은데 말이다. 대통령학 분야의 고전이라 불리는 『대통령의 권력』에서 소개된 미국 제 33대 대통령 해리 트루먼(Harry Truman, 1884~1972)의 말은 듣는 이의 귀를 쫑긋하게 한다.

"나는 온종일 집무실에 앉아서 어떤 일을 하도록 사람들을 설득하려고 애쓰는 데 많은 시간을 보내고 있다. 대통령의 권력은 고작 그런 정도에 불과하다."

트루먼의 경우가 우리나라의 대통령에게도 동일하게 적용이 되는지는 당신이 자유롭게 판단하기 바란다.

설득 능력이 경쟁력이다. 상대방을 설득하지 못하면 아무것도 얻을 수 없다. 어린아이 장난감에서부터 고객의 마음 그리고 외교적 권리에 이르기까지. 이 모든 것이 좋은 설득의 결과로 손에 넣을 수 있는 것이다. 개인도 조직도 국가도 강한 설득력을 갖추어야만 무한경쟁 시대에서 살아남을 수 있다.

설득은 어느 날 갑자기 그 중요성이 높아진 것이 아니다. 옛날에도 매우 중요했다. 다만 예나 지금이나 중요한 만큼의 설득력을 갖추기가 어려웠을 뿐이다.

중국 전국 시대 말기 법치주의를 주창한 한비(韓非, B.C. 280?~233)는 『한비자』라는 불후의 명저를 남겼다. 〈세난 편〉에 설득에 관한 설득력 있는 이야기가 담겨 있다. 요즈음에 그대로 적용해도 긴요하게 써먹을 수 있는 내용이라서 신기하기까지 하다. 군주, 즉 절대 갑을 설득하는 상황이 우리가 당면하는 보편적인 설득 상황과는 거리감이 있을 수 있겠지만 설득의 핵심을 그대로 보여주고 있다는 점에서 매우 유익하다.

　이운구 역의 『한비자 1』에서는 다음과 같이 말한다.

　　"세난(說難)에서 세(說)란 권력자에게 자기의 의견을 진술하여 깨닫게 한다는 것입니다. 그러나 말하는 방법이 쉽지 않다는 뜻에서 난(難)이라고 한답니다."

　무릇 자기 의견을 남에게 진술하기가 어렵다는 것은 자기의 지식으로 남을 설득시키기가 어렵다는 것은 아니다. 그리고 자신의 말솜씨가 능히 자기 뜻을 남에게 밝히기 어려운 것도 아니다. 또 스스로 과감하게 마음대로 하여 그 생각을 능히 다 펼치기가 어려운 것도 아니다. 무릇 남에게 자기 의견을 진술하기가 어렵다는 것도 그 설득시키려는 상대의 마음을 알아내 거기에 자기 의견을 맞출 수 있는가 하는 점에 있다.

아무리 강력한 논리로 무장한다 해도 상대방이 공감하지 않는다면 소용없다. 강공은 더 강한 역공으로 되돌아오기 마련이다. 더 강력한 방어막을 구축하기 때문이다. 다시 말해 좋은 설득은 상대방을 잘 이해하고 상대방의 마음을 잘 읽어야 하는 것임을 강조하고 있다. 지피지기면 백전불태, 역지사지, 고객의 마음 읽기 등등 이 모든 것이 여기 〈세난 편〉에서부터 비롯되었나 보다.

자연스레 이솝 우화 〈북풍과 해님〉 이야기를 떠올리게 된다. 나그네의 마음을 누가 더 잘 이해했을까? 누가 더 설득적인가? 잠시 어린 시절로 돌아가 보자.

북풍과 해님 사이에 말싸움이 벌어졌다. 각자 상대방보다 자기가 더 기운이 세다고 주장했다. 한 여행자를 놓고 누가 더 빨리 그의 외투를 벗길 수 있는지를 겨루어 보기로 한 것이다. 북풍은 세찬 바람으로 여행자의 외투를 벗기려 했다. 그러나 바람이 세차게 불면 불수록 여행자는 더욱 단단히 외투로 몸을 감싸는 것이었다. 반면에 해님은 여행자의 몸 위로 따사로운 햇볕을 던졌다. 여행자는 기꺼이 외투를 벗어버리고 더 가벼운 차림으로 여행을 끝냈다.

대학에서 강의하던 때의 일이다. 어느 날 몇 통의 이메일을 받았다. 성적에 대한 이의신청이기도 하고 하소연이기도 했다. 성적을 한 단계 상향 조정해 줄 수 없느냐는 내용이었다. 이유는 구구절절했다.

장학금을 타서 부모님 부담을 덜어드리고 싶은데 요만큼 모자란다. 좋은 아르바이트 자리가 있는데 학점이 요만큼 모자란다. 꿈을 실현하기 위한 첫걸음으로 인턴을 할 수 있는데 학점이 요만큼 모자란다. 한 과목을 더 수강할 수 있는 자격이 주어지는데 학점이 요만큼 모자란다.

물론 원칙에 따라 어떤 의견도 받아들여 주지 않았다. 그러나 내 입장에서 무엇보다도 안타깝게 생각한 것은 이메일 내용이 설득적이지 못했다는 것이다.

좀 심하게 표현하자면 칭얼거림 수준이었다. 나름 고민을 많이 했겠지만 학생의 입장에서 선생에게 의견을 개진하는 방법은 조금은 남다름이 있어야 한다고 생각했다.

당신이라면 어떻게 윗사람을 설득할 것인가? '간하다'는 말이 있는데, 사전적으로 보면 웃어른이나 임금에게 옳지 못하거나 잘못된 일을 고치도록 말한다는 의미다. 특히 공자는 '간군오의'라 하여 솜씨 좋게 요약 정리해 놓았는데 신하가 임금에게 간하는 다섯 가지 방법이다.

첫 번째는 휼간(譎諫)이다. 자기의 뜻을 직접 말하지 않고 비유 따위로 완곡하게 돌려서 간하는 것이다.

두 번째는 당간(戇諫)이다. 우직하게 꾸밈없이 곧이곧대로 간함을 이른다. 고지식하다는 표현이 더 적절하다.

　세 번째는 강간(降諫)이다. 자신을 낮추고 겸손한 말로 간함을 이른다.

　네 번째가 직간(直諫)이다. 앞뒤 가리지 않고 거리낌 없이 간하는 것을 말한다. 직언과 통한다고 할 수 있다.

　마지막 다섯 번째는 풍간(諷諫)이다. 비꼬거나 풍자해서 말하는 방식이다.

　설득의 핵심은 상대방이 누구인지를 먼저 아는 것이다. 위의 5간에 비추어 볼 때 당신은 몇 번째 방법이 유효하다고 판단하는가? 5간은 각기 장·단점이 있다.

　상황에 맞게 문제에 맞게 적절히 사용해야 한다. 적절하게 사용하지 못하면 역린(逆鱗)을 건드리는 경우가 되어서 최악의 상황에 직면할 수 있다.

　임금에게만 역린이 있는 것이 아니다. 지위고하를 막론하고 당신과 상대하는 모든 사람은 그 나름대로의 역린이 있다고 가정해야 한다. 왕의 노여움을 사듯이 상대방의 심기를 불편하게 만들 수 있게 되는 것이다. 학교에서는 교수님, 집에서는 부모님, 직장에서는 상사까지 설득해야 할 윗사람들은 대부분 까다롭고 그 모습도 다양하다.

하이브리드 설득

다음은 법정 스릴러 영화 〈의혹(Presumed Innocent, 1990)〉
의 줄거리다.

그는 촉망받는 유능한 부장검사다. 귀여운 아들이 있고 컴퓨
터 분야에서 박사 과정을 밟고 있는 부인이 있다. 단란한 가정
을 꾸려가고 있는 행복한 가장의 전형적인 모습이다. 그런데 예
기치 못한 일이 일어난다. 동료 검사이며 한 때 불륜 관계였던
그녀가 처참하게 살해당하는 사건이 발생한다. 그는 사건의 회
오리바람에 휘말리게 된다. 급기야 그는 살인자로 몰리면서 법
정에까지 서게 된다. 시종 긴장감이 흐르는 재판의 심문과정이
영화의 압권이다. 그는 유능한 변호인을 선임하고 자신의 결백
을 밝히려 한다. 하지만 사건과 관련하여 의심스러운 부분은 늘
어만 가고 진범이 누구인지 종잡을 수 없게 된다.

법정 스릴러 영화답게 기소인 측과 변호인 측의 수 싸움과 예
상을 뛰어넘는 심문 방식이 인상적이다. 다만 설득의 관점으로
이 영화를 보자니 가슴이 턱 막힌다. 마땅한 설득할 방법이 보
이지 않기 때문이다. 변론 대결은 치열한 설득의 대결이다. 아
니 법정은 설득의 최고수가 활약하는 최고의 무대라고 할 수 있
다. 설득하지 못하면 패배할 수밖에 없는 이른바 진검승부의 장
이기 때문이다.

광고회사에 다닐 때 의외의 제안을 받은 경험이 있다. 로펌 대표 변호사를 하던 선배의 제안이었는데 광고하는 사람들과 변호사들이 함께 스터디그룹을 해보면 어떻겠느냐는 이야기였다. 당시 그 낯선 제안에 적잖이 당황했다. 그 배경이 궁금했다. 그 선배는 놀랍게도 '설득'에 대하여 이야기했다. 법정에서의 변론도 결국은 설득행위의 일종이라는 것이었다. 위의 영화〈의혹〉의 경우와 같다. 법조인의 시각으로 광고 문안을 보면 느끼는 바가 많다고 했다. 광고는 논리적이면서도 군더더기 없는 설득 문안이라고 하면서 '광고'의 좋은 점을 쏟아냈다. 변호사에게 필요한 변론 기술도 이와 같아야 한다고 덧붙였다.

　나도 평소에 법조인의 논리에 대하여 관심이 많았다. 변호인이야말로 설득의 고수라는 인식이 있었기 때문이다. 아마도 많은 사람이 나와 비슷한 생각을 가지고 있으리라 생각한다. 특히 송강호의 명품 변론 연기가 돋보이는 영화〈변호인〉을 본 사람은 더욱더 나의 생각에 공감할 것이다.

　결국은 하이브리드(Hybrid), 즉 융합의 시도였던 것이다. 비록 사정에 의하여 하이브리드 스터디그룹은 만들어지지 않았다. 만약에 잘 실행되었다면 새롭고 유용한 '설득 스킬'이 창조될 수도 있지 않았을까 생각해 본다. 그것은 아마도 광고 카피에서 얻어낸 변론 기술, 변론의 논리에서 발견한 소비자 구매 설득 기술과 같은 '수퍼 융합 설득 기술'이었을 것이다.

생활 속에서의 융합의 설득 기술, 지금부터라도 당장 찾아서 발휘해 보자.

외교담판과 설득

신경 쓰이는 뉴스가 한동안 계속 이어졌다. 한일 양국이 '위안부 문제' 해결을 위한 외교 수장 간의 담판을 앞두고 날 선 신경전을 벌이고 있다는 것이다. 옆에서 듣고 있던 장인어른이 한 말씀했다.

"지난날의 교훈에서 배워야 한다. 고려 시대 서희에게 배워야 한다."

담판의 사전적인 의미는 '서로 맞선 관계에 있는 쌍방이 의논하여 옳고 그름을 판단함'이다. 외교담판, 역시 매우 어려운 또 다른 차원의 설득 과제임을 알 수 있다.

손자병법에서는 싸우지 않고 이기는 것이 제일의 병법임을 밝히고 있다. 그러한 의미에서 '서희의 외교담판'은 우리나라 역사상 가장 성공적인 실리 외교로 평가받고 있다. 싸움도 하지 않은 것은 물론이고, 강동 6주를 확보해서 오히려 영토를 늘렸기 때문이다. 설득의 관점에서 보면 대표적인 설득의 본보기인데 과연 서희의 설득 기술은 무엇이었을까?

첫째는 자신감이다. 서희는 투항론(왕이 군사를 거느리고 나가 항복해야 한다.)과 할지론(평양 이북 땅을 거란에게 넘겨주자.) 등 패배주의적인 견해에 맞서서 자신의 의견을 당당히 밝힌다. 말하자면 거란과 당당히 맞서 붙어 보고 나서 결정하자는 주장이다. 그리고 왕명을 받들고 당당히 적진에 있는 담판의 장으로 달려간다.

두 번째는 상대방에 대한 철저한 분석이다. 이 역시 병법에서 말하는 지피지기 백전불태의 실천이다. 서희는 국제정세를 정확히 파악하고 그에 따른 거란의 의도 및 속셈을 알아낸 것이다. 실리를 얻을 수 있었던 이유다.

세 번째는 치밀한 논리력이다. 거란의 소손녕이 다음과 같이 시비를 건다. "너희 나라는 신라 땅에서 일어났고 고구려의 옛 땅은 우리 거란의 것이다."라고 하며 침략 명분을 밝히자, 서희는 "그렇지 않소. 우리 고려는 바로 고구려를 계승한 나라요. 그러므로 나라 이름을 고려라 부르고 평양을 수도로 정한 것 아니겠는가?" 상대는 이를 수용할 수밖에 없었다. 그만큼 서희의 담판은 논리적으로 명쾌했음을 의미한다.

우리나라 역사를 보면 서희의 외교담판처럼 자랑스러운 점도 많다. 그러나 실망스러운 경우도 그만큼 많다. 특히 설득이라는 측면에서 볼 때 병자호란의 경우가 대표적이다. 김상헌과 최명길이 주전파와 주화파로 나누어 치열한 의견 대립만 있었을 뿐이다. 설득이라는 정리 기술이 없었다. 서희의 설득 기술을 참고했더라면 삼전도 굴욕이라는 치욕적 사건을 방지할 수도 있지 않았을까 하는 나만의 상상을 해본다. 김훈은 소설 『남한산성』에서 그 당시에 벌어졌던 총체적인 설득력의 부재 실상을 소름 돋게 확인시켜 주고 있다.

"문장으로 발신한 대신들의 말은 기름진 뱀과 같았고 흐린 날의 산맥과 같았다. 말로써 말을 건드리면 말은 대가리부터 꼬리까지 빠르게 꿈틀거리며 새로운 대열을 갖추었고 또리 틈새로 대가리를 치어 들어 혀를 내밀었다. 혀들은 맹렬한 불꽃으로 편전의 밤을 밝혔다. 묘당에 쌓인 말들은 대가리와 꼬리를 서로 엇물면서 떼 뱀으로 뒤엉켰고 보이지 않는 산맥으로 치솟아 시야를 가로막고 출렁거렸다."

서희 설득 기술의 핵심은 자신감, 논리력, 상대방 분석으로 요약할 수 있다. 이는 아리스토텔레스의 설득의 3요소와 거의 일치한다.

자신감은 에토스에 해당한다. 에토스는 말하는 사람의 권위, 성품, 신뢰감, 카리스마 등을 의미한다. 아리스토텔레스는 기본적으로 사람들이 화자를 신뢰해야만 설득이 가능하다고 했다.

논리력은 로고스에 해당한다. 아리스토텔레스는, 인간은 이성적인 존재이기 때문에 무언가를 결정할 때 합리적인 이치에 근거한다고 보았다. 때문에 논리를 갖추지 못했다면 설득의 기본을 갖추기 못한 것이다. 설득은 꿈도 꾸지 말아야 한다.

상대방 분석은 파토스에 해당한다. 파토스는 상대방의 심리나 감정 상태를 말한다. 서희의 분석은 파토스를 포함하여 상대방에 대한 총체적 분석을 잘한 결과다.

이슈 있는 곳에 또한 설득이 있다.

외교담판 등 현안 이슈를 설득 공부의 사례로 삼아보자. 당신이 외교담판의 당사자가 되어보는 것이다. 서희 장군의 입장이 되어서 설득의 방법을 찾아보는 것이다. 수퍼 설득 기술을 얻을 수 있는 좋은 훈련이 될 것이다.

쇼호스트는 설득의 달인

아내에게 질문했다.

"이 시대 최고의 설득 달인이 누구라고 생각해?"

매사 꼼꼼하게 생각하다가 대답하는 모습과는 달리 '홈쇼핑의 쇼호스트'라는 즉답이 돌아왔다. 종종 홈쇼핑 방송을 본다. 물건을 사는 데 인색한 나도 충동구매의 유혹에 시달린다. 나의 마음을 끌어당기는 요인이 무엇인지 궁금했다. 작심하고서 어느 토요일 오전에 이리저리 홈쇼핑 채널을 넘나들었다. 어떤 점들이 쇼호스트를 설득력 있는 사람으로 만드는지 알기 위함이었다.

다음 여섯 가지 항목은 내가 느낀 쇼호스트의 설득 기술이다. 과장되었다는 생각이 드는가? 그러면 당신의 설득 기술과 직접 비교해서 보라.

1. 쇼호스트는 배우다.

음식을 맛있게 먹는다. 직접 입어보고 뛰기도 한다. 모든 것을 직접 보여준다. 오감을 자극한다. 디테일하게 시연을 한다. 속속들이 다 보여준다.

2. 쇼호스트는 친밀감을 만들어낸다.

이웃집 언니, 동생, 이모, 고모, 조카. 모든 관계를 스스로 창조해 낸다. 쌩얼로 깨알 같은 수다를 떨기도 한다. 이야기를 듣지 않을 수 없다.

3. 쇼호스트는 스토리텔러다.

그냥 듣고만 있어도 재미있다. 그들이 말하는 내용은 잘 짜인 각본이다. 맛깔나는 전달 솜씨는 말할 필요도 없다. 자연스러운 공감 유도를 이끌어낸다.

4. 쇼호스트는 승부사다.

한번 잡으면 끝장을 본다. 반복을 한다. 사례를 들려준다. 후기를 소개한다. 같은 내용이라도 그(녀)들이 소개하면 다르게 보인다. 구체적인 숫자 활용도 잘한다. 문제(problem)도 주고 해결책(solution)도 준다. 병 주고 약 주고 다 한다.

5. 쇼호스트는 심리학자다.

반발심리를 활용한다. 애들은 가라는 식이다. 청개구리 심리를 이용한다. 오히려 사는 것을 말린다. 사지 말라고 하니 더 사고 싶어진다.

6. 쇼호스트는 커뮤니케이션 전문가다.

다양한 소구 방법을 동원한다. 1등, 원조, 리더, 신상품, 리뉴얼, 무료, 할인, 즉시, 마지막, 한정판 등과 같은 펀치를 쉴 사이 없이 날린다. 많은 사람이 후회 없이 구매하고 어김없이 후회한다.

맹자는 설득의 대가

설득 및 수사에 있어서 서양에 아리스토텔레스가 있다면 동양에는 맹자가 있다는 말이 있다.

사실 나도 아리스토텔레스는 많이 들어 보았는데 맹자가 설득의 대가라는 말은 다소 생소하게 들렸다. 이는 단지 무식의 소치일 뿐이었다. 자료를 뒤지며 공부하다 보니 '맹자야말로 강력한 설득의 대가'라는 생각이 굳어졌다.

맹자가 활동하던 당시의 시대 상황과 그것에 대한 맹자의 생각 및 해법 때문이다. 전국시대 상황은 사회적 혼란과 사상적 위기의 시대였다. 말 그대로 전란의 시기다. 혈연과 예에 의거한 봉건제가 무너지고 힘에 의한 약육강식의 원리가 지배하던 사회다. 맹자는 사회 혼란을 종식시키고 죽고 죽이는 전쟁의 고리를 끊어야 한다고 생각했다. 맹자가 제안하는 솔루션은 왕도사상, 왕도정치였다. 백성을 근본으로 여겨 정치를 펼쳐야 한다는 주장이다.

맹자는 제후들을 설득시키기 위해서 험한 유세의 여정을 시작했다. 맹자의 이러한 입장은 다른 제자백가의 책략들과는 다른 길을 가는 것이었다. 그들은 패도의 길이었다. 오로지 부국강병 정책만을 외쳤다. 상황이 이러하니 맹자의 유세 여정은 목숨을 잃을 수도 있는 위태한 하루하루의 연속이었다. 강한 설득력을 갖추지 않으면 안 되었다. 아니 반드시 갖추어야만 했다. 그래야 살아서 자신의 이상을 실현할 수 있기 때문이다. 맹자가 내뿜는 설득력의 핵심은 크게 다음과 같이 2가지다. 나민구 한국외대 교수가 쓴 "맹자에게 배우는 설득과 수사"를 읽고 나서 나의 관점으로 발췌한 것이다.

첫째는, 논리와 감성의 조화다.

맹자는 논리와 감성이라는 설득의 원투 펀치를 능수능란하게 구사했다. 일이 되어가는 형편과 상대방의 심리에 따라 자유자재로 대화를 이끌어 갔다. 그것도 아주 집요하게 했다. 추상적이고 개념적인 이론 대신에 구체적인 예를 들어가며 설명하고 시(詩)와 서(書), 그리고 고사(古事)나 고인(古人)의 말을 적절히 사용했다. 비유도 잘했다. 생동적인 비유를 섞어 쉽게 설명했다. 나아가 감성에도 강했다. 문학적 수사기교도 활발히 사용하고 특히 반복법을 자주 활용함으로써 살아있는 문장, 생동감넘치는 유세를 만들어냈다. 질문하고 의향을 파악하는 설문법또한 적절히 사용함으로써 주도권을 잡고 자신의 논점으로 상대방을 리드했다.

당시 맹자가 유세하던 모습을 상상하면 스티브 잡스(Steve Jobs)의 프레젠테이션 모습, 이어령 교수의 강연 모습이 떠오른다.

둘째는, 맹자만의 강력한 세계관이다.

맹자 설득력의 요체는 '지언(知言)지심(知心) 양기(養氣)입언(立言)'이다. 지언은 상대방을 아는 것이다. 다른 사람의 말속에 숨겨진 뜻을 통해서 그가 빠져 있는 잘못된 상태를 아는 것이다. 그래서 그 사람의 마음 상태를 이해하는 것이다. 상대방의 마음을 알 수 있다면 설득의 반은 이루어낸 것이다. 양기는 내면의 기를 말한다. 의를 실천함으로써 얻는 도로 인하여 두려움이 없는 것이다. 흠이 없으니 당연히 떳떳하다. 누구 앞에서도 당당하다. 자신의 의견을 분명히 밝힌다. 당시 서슬 퍼런 군주 앞에서 대놓고 말이다. 상대방이 설득당하지 않는다면 오히려 그것이 이상한 것이다. 이러한 맹자의 모습에서는 학교 다닐 때 보았던 김용옥 교수의 열강하던 모습이 겹쳐 떠오른다.

맹자의 설득기술과 나의 경우를 비교해 보았다.

모든 면에서 턱없이 부족하여 비교가 불가능하지만 특히, 양기(養氣) 측면에서 더 많이 부족한 것 같았다. 상대방을 지나치게 의식했던 것이다. 당연히 설득력이 떨어질 수밖에 없다. 당신의 경우는 어떤가? 맹자의 설득력과 견주어서 문제점이나 개선 방안을 찾아 당신의 설득 스킬로 만들어라. 당신의 프레젠테이션을 재미있게 즐길 수 있을 것이다.

이성적 설득 감성적 설득

설득에 관한 이론도 많고 책도 많다. 무수히 많은 방법론이 존재한다. 그런데 그것을 관통하는 것은 두 가지로 압축된다. 이성적 설득과 감성적 설득이다. 다음과 같은 질문을 종종 받는다. 이성과 감성은 우선순위가 있는 것인가? 어느 쪽을 선택해야 더 효과적인 것인가? 나는 예전에 중앙일보 비즈칼럼(2011.06.11)을 통해서 다음과 같은 이성과 감성에 대한 견해를 밝힌 적이 있다.

이성은 '군량미', 감성은 '신무기'

필자는 버락 오바마(Barack Obama) 미국 대통령이 이룬 가장 큰 성공이 지난해 의료개혁법을 통과시킨 것이라고 생각한다. 추진 기간 내내 의회는 강하게 반대했고, 오바마는 정치적 위기에 봉착하기도 했다. 의료개혁안 표결을 앞둔 오바마는 마지막 연설을 통해 자신의 할머니 얘길 꺼냈다. 충분히 나을 수 있는 병에 걸렸지만 돈이 없어서 의료 혜택을 받지 못한 채 돌아가셨다는 이야기였다. 4,600만 미 의료보험자들이 자신의 할머니와 같은 아픔이 없길 바란다고 호소한 연설은 의회의 마음을 움직이는 데 결정적인 역할을 했다.

아프리카 코트디부아르에서 2002년부터 시작된 내전을 끝낸 것은 한 축구선수의 눈물이었다.

프리미어리그 명문 구단 첼시에서 활약 중인 드로그바(Didier Drogba)다. 그는 사상 최초로 월드컵 본선 진출에 성공한 뒤 무릎을 꿇고 눈물을 흘리며 말했다.

"단 일주일이라도 총을 내려놓고 전쟁을 멈춰주세요."

기적은 일어났다. 월드컵 기간 중 일주일 동안 휴전이 이뤄졌고, 2년 뒤 전쟁은 종전됐다.

마케팅 상황이 복잡해지고 많은 브랜드가 우후죽순처럼 생겨나고 있다. 자사의 브랜드나 제품을 소비자가 선택하도록 만드는 설득의 과정은 필수가 됐다. 이때 쓰이는 '이성'과 '감성' 중 필자는 상대를 설득시킬 수 있는 힘의 원천은 '감성'이라고 생각한다. 인간은 이성적인 동물이 아니라 이성적이고 싶어 하는 감성적인 동물이라 믿기 때문이다. 그렇다고 이성이 불필요하다는 말은 아니다. 만약 오바마가 의료개혁의 모습을 구체적인 방향으로 제시하지 못했다면, 또 정부군과 반군의 이성적 협상이 드로그바의 눈물 후에 일어나지 않았다면 의료개혁도, 종전도 실패로 끝났을지 모른다.

설득이라는 전쟁에서 이성은 '군량미', 감성은 '신무기'다. 군량미가 많으면 오랜 기간 전쟁할 수 있다. 이성적 논리가 많을수록 다양한 방식으로 설득의 구조를 만들 수 있기 때문이다.

하지만 식량은 전쟁을 유지시켜줄 수 있지만 전쟁을 끝낼 순 없다. 전쟁을 끝내는 신무기와 같은 것이 바로 감성이다. 우리가 마음을 움직이기 시작하는 순간과 결정하는 순간에는 이성보다 감성이 더 크게 작용한다. 모두 부자 되라는 카드사, 사람을 향한다는 통신사, 그냥 사랑한다고 말하는 대기업의 광고 등 마케팅의 많은 부분에서 감성은 설득의 핵심 무기로 쓰이고 있다.

설득력 있는 광고

어느 식당 안으로 들어서자마자 깜짝 놀란 적이 있다. 정면 벽에 붙어있는 짧지만 매우 인상적인 문장 때문이었다.

"담배 피우세요. 단 99세 이상만."

평소에 식당뿐만 아니라 생활 주변 이곳저곳에서 '금연'이라는 문구를 자주 보게 된다. 그런데 그 문구를 접할 때마다 기분이 좋지 않다. 마치 "하지 마! 하면 죽어."라는 강압적인 명령을 받는 듯한 느낌을 떨쳐버릴 수 없기 때문이다. 고등학교 시절에 학생주임 선생님의 소름 돋는 잔소리를 듣는 기분이기도 했다.

반면에 식당에서 접한 이 문구는 딱딱한 '금연'이라는 문구의 느낌과는 정반대였다. 나로 하여금 금연에 대한 실천적인 다짐이외에도 음식의 맛, 종업원의 서비스 등 이 식당의 모든 것에 대하여 좋은 인식이 들도록 작용했다.

우리의 생활 속에서도 누군가가 이렇게 친근하게 말을 걸어온 다면 참 좋겠다는 생각을 했다.

강력한 설득이라는 것은 어렵고 심오한 것이 아니다. 친근한 말 걸기에서부터 시작된다. 식당 문구가 친근한 말 걸기가 되어 서 높은 설득력으로 나타나는 요체는 무엇일까? 설득의 프레임 으로 바라볼 때 세 가지를 생각할 수 있다.

먼저 목표가 분명하다는 것이다. 금연을 유도하고자 하는 진 심이 자연스럽게 녹아 있다. 전달하고자 하는 사람의 신뢰성이 느껴진다. 식당 주인, 나아가 그 식당 전체에 대하여 좋은 감정 이 생겨나는 이유다. 두 번째는 상대방에 대한 이해다. 문구를 작성한 분도 예전에 담배를 많이 피웠으리란 추측을 가능케 한 다. 금연이라는 상투적인 말에 반감을 많이 가졌으리라. 상대방 이 원하고 바라는 바가 무엇인지를 입장 바꾸어서 생각했을 것 이라고 판단된다. 세 번째는 메시지의 차별화다. 돌직구 대신 부드러운 커브를 택했다. 폐암을 연상시키는 직접화법 대신 유 머와 재치의 간접화법을 채택했다. 결과적으로 예전의 금연 문 구와는 달랐다.

기왕 금연에 관련된 이야기를 꺼냈으니 대중매체를 통한 금연 광고의 설득력에 대하여 짚어 본다. 한 일간지에 다음과 같은 요지의 기사가 소개되었다.

"한국담배판매인중앙회 회원 5명이 정부를 상대로 낸 담배광고 금지 가처분 신청에 대하여 법원이 기각 결정을 내렸다."

얼마나 요란한 담배광고이기에 법원의 판단을 빌렸을까? 궁금하여 해당 광고를 찾아보았다. 그 담배 광고는 담배를 사기 위해 담배가게에 들어선 남녀가 "후두암 1mg 주세요." "폐암 하나, 뇌졸중 두 개 주세요."와 같이 섬뜩하게 말하는 장면을 담고 있었다. 대중매체의 금연광고는 갈수록 그 강도를 더해가고 있다. 위협 소구 또는 공포 소구 광고전략이 효과적이라는 판단에서다.

나의 생각은 달랐다. 해당 금연광고가 "적법하다."는 판결과는 달리 오히려 이러한 방법은 효과 측면에서 "적법하지 않다."는 것이 나의 생각이다. 극단적으로 정부에 대한 강한 불신을 불러일으키게 된다. 담배가 폐암, 후두암이라면 담배를 팔지 말아야 하는 것 아닌가? 버젓이 담배를 팔면서 그와 같은 광고를 하는 까닭을 모르겠다. 국민에게 폐암, 후두암, 뇌졸중을 파는 나라가 세상에 어디에 있는가? 병 주고 약 주고 하는 무책임의 전형이다. 특히 강조하고 싶은 것은 '설득의 수준'이다. 설득의 관점에서 해당 금연광고는 설득은 고사하고 스토커 수준의 '억지'라고 혹평했다. 얼마 후에 그 금연광고는 교체되었다.

15초의 예술−광고. 그 광고의 영향력이 점점 커지고 있다. 광고는 우리를 기쁘게도 하고 화나게도 하고 슬프게도 즐겁게도 한다. 한 줄로 요약되는 광고문구는 소비자를 설득하는 데 있어서 가장 중요한 요소다. 생생한 소비자의 의견을 얻기 위한 광고인들의 노력은 치열하다. 마트나 백화점 등 구매접점에서 소비자들의 일거수일투족을 관찰한다. 왜? 그 맥주를, 왜? 그 라면을, 왜? 그 우유를 사는지에 대한 이유를 발견하기 위해서다. 소비자를 알아야 가장 설득적인 말 걸기를 할 수 있다. 당신이 기억하는 광고 문구는 무엇인가?

"담배 피우세요, 단 99세 이상만."
이 문구는 나의 기억 속에서 오랫동안 잊혀지지 않을 것이다. 내가 그 문구에 설득당했기 때문이다. 오늘날을 광고의 홍수시대라고 한다. 광고는 설득의 진수다. 설득의 관점으로 보면 그만큼 설득공부를 할 수 있는 사례가 많다. 평소에 광고를 눈여겨보라. 당신의 설득 기술이 높아질 것이다.

설득력 있는 자기소개

실로 오랜만에 면접시험을 보았다. 자기소개가 면접시험의 핵심이었다. 30년 가까이 직장생활을 한 경험을 바탕으로 대학원 지원동기, 만학의 길을 가고자 하는 목적, 향후 비전 등을 자신있게 말했다. 그런데 기대와는 달리 결과는 낙방이었다. 낙방한 이유에 대하여 곰곰이 생각해 보았다. 결론적으로 너무 자기중심적인 이야기를 한 것 아닌가 싶었다. 설득력이 부족한 면접이 된 것이다.

유시민 작가(언론에서 표현하는 호칭이다)의 자기 PR에 관한 견해를 들어 보니 더욱더 그랬던 것 같다. 그는 "자기 PR에 있어서 중요한 것은 나는 나에 대하여 100퍼센트 안다는 것과 상대방은 나에 대하여 전혀 모른다는 것이다. 이것을 정보 불균형이라고 한다."라며 "나는 잘 보이기 위해서 거짓말을 할 동기를 가지고 있다. 그러나 상대방은 나를 믿어줘야 될 아무런 동기가 없다. 이것이 자기 PR을 둘러싸고 있는 낯선 사람들 사이의 기본적인 관계다."라고 설명했다.

이어서 그는 먼저 이것을 인정하고 시작해야 한다고 밝히면서 "좋은 PR이란 첫째는 사실이 아닌 것을 쓰지 말 것. 두 번째는 그 사람이 관심을 가질 만한 정보를 중심으로 나를 소개하는 것이다."라며 "PR이란 상대방을 중심으로 나에 대해 얘기하는 것이다. 그렇게만 할 수 있다면 건방지다, 잘난 척한다는 얘기는 듣지 않을 것이다."라고 조언했다.

설득력 있는 자기소개서를 만든다는 것은 취업은 물론이고 중요한 커리어 관리 전략의 하나다. 좋은 자기소개서의 공통점은 뭔가 특별한 것을 담고 있다는 것이다. 나는 자기소개의 최고 결정판은 '광고'라고 생각한다. 광고는 일종의 제품소개서이자 설득을 위한 제안서다. 소비자가 해당 제품을 쉽게 선택할 수 있도록 도움을 줘야 한다. 소비자는 설득되지 않으면 지갑을 열지 않는다. 때문에 광고인들은 머리를 싸매고 공부를 해야 했고, 그 결과 좋은 광고전략 모델을 많이 만들어냈다. 그중의 하나가 ROI 전략이다. ROI는 '적절성(Relevance)', '독창성(Originality)', '영향력(Impact)', 세 요소를 말한다. 설득적인 광고가 되기 위해서는 이 세 요소를 반드시 갖추어야 한다는 주장이다. 자기소개서 역시 '당신'이라는 브랜드를 광고하는 것이다. 같은 맥락으로 설득력 있는 자기소개서에는 바로 이러한 ROI 의 3요소가 적절하게 담겨져 있다.

적절성(Relevance)

광고가 '적절하지(Relevant)' 못하면, 또는 소비자와 관련성이 없으면 목적 없는 것이 된다. 쓰레기를 만드는 것일 수도 있고 허공에 돈을 뿌리는 것일 수도 있다. 자기소개서의 첫 번째 중점 항목은 당신과 고객 및 회사와의 관련성을 부각해야 한다. 시너지가 핵심 포인트다. 분명한 동기 및 자세를 담아야 한다. 당신의 강점과 재능이 어떻게 녹아들어서 희망하는 업무나 사안에 긍정적으로 작용할 수 있는지 말해야 한다. 당신의 과거, 현재, 미래가 지원하는 회사나 만나는 고객에게 이러이러한 면에서 관련이 있기에 서로 도움이 된다는 것이 드러나야 한다.

독창성(Originality)

광고가 '독창적이지(Original)' 못하면 관심을 끌 수 없다. 자기소개서 역시 당신만의 독창적인 스토리를 담는 것이 핵심 포인트다. 독창성은 깨달음의 깊이나 해석의 각도에서 나온다. 우선 당신의 경력 실적을 표현해야 한다. 그러나 더욱더 중요한 것은 천편일률적인 경험 나열에 그쳐서는 안 된다. 그 경험에서 어떠한 의미를 찾아내느냐가 관건이다. 그러한 의미에 따라 그 경력은 당신만의 차별적인 가치로 탈바꿈되는 것이다. 당신만의 생각, 철학, 열정을 뽑아내야 한다. 그것을 바탕으로 남과는 다른 독창적인 스토리를 엮어내는 것이다. 스토리가 간결하고 재미있고 솔직하다면 금상첨화다.

영향력(Impact)

광고가 '영향력(Impact)'이 없다면 광고를 접한 인상이 오래 지속될 수 없다. 소비자들의 기억에 머물지 못한다. 당연히 성공적인 광고가 될 수 없다.

임팩트 측면에서의 핵심 포인트는 상징화(symbolization)다. 상징화는 기억에 용이하다. 상징화는 정서적 내용이나 감정, 혹은 특징을 익숙한 대상물에 빗대어 표현하는 것이다. 이러한 상징화의 의미를 자기소개서에 적극 반영하는 것이다. 당신의 상징화에 필요한 것은 먼저 매력적인 별명을 짓는 것이다.

동창회에서 옛 친구를 소개할 때 별명을 불러주면 쉽게 그 친구를 기억하고 함께했던 옛 시절의 스토리가 쉽게 연상되는 것과 같은 이치다. 브랜드로 치면 광고 카피나 슬로건이 이러한 역할을 한다.

그다음에는 색상 등 비주얼 측면에서 상징 요소를 갖추는 것이다. 거창하게 말하면 자신만의 '드레스코드(dress code)'를 만드는 것이다. 파티에 즐겁게 어울리는 방법이 드레스코드의 연출에 달려 있는 것처럼 자신만의 색상코드를 만들고 그것을 자기소개서에 기억 요소로 담는 것이다.

마지막으로는 소리의 상징화다. 사람들은 누구나 '십팔번'이라고 하는 자신만의 애창곡이 있다. 그래서 어느 노래만 들려도 그 노래를 애창곡으로 부르는 친구와 동료를 쉽게 기억에 떠올리곤 한다. 당신을 그러한 애창곡이나 로고사운드와 연결하여 표현하면 당신의 이해 당사자가 당신을 더욱 쉽게 기억할 수 있을 것이다.

프레젠테이션과 설득

어느 날 신문기자 친구가 느닷없이 이런 질문을 했다.

"어떻게 30년 가까이 경쟁 PT라는 것을 하고 살았어?"

친구는 오랫동안 편집국에서 취재기자를 하다가 보직이 바뀌었다. 새롭게 간 부서는 기업으로 치면 미래 전략개발부서 같은 곳이다. 신사업 발굴을 위해서 여기저기 PT를 해야만 했던 모양이다. 그 친구는 직업상 본의 아니게 '갑'의 자세가 체질화되었기에 '을'의 입장으로 자세를 바꿔서 보고하고 설득하는 것이 꽤 힘들었던 모양이다. 공개입찰 프레젠테이션의 핵심도 역시 설득력이다.

프레젠테이션(Presentation) 또는 시청각설명회(視聽覺說明會)는 듣는 이에게 정보, 기획, 안건을 제시하고 설명하는 행위를 가리킨다. 다시 말해 시청각 자료를 활용한 발표라고 할 수 있다. 간단히 발표라고도 하며, 영어로 줄여서 PT라고 한다. 발표로만 한정된다면 그리 고되지는 않을 것이다. 세상사 쉬운 일이 없다. PT는 상대방을 설득시키는 것이다. PT는 일대일의 경우보다는 여러 사람들 앞에서 진행된다. 나아가 경쟁을 한다. 내가 종사해온 광고 업종에서 PT라고 하면 곧 경쟁 PT를 일컫는다. PT가 쉽지 않은 이유다. 경쟁 PT에서는 2등도 필요 없다. 오직 1등만이 의미가 있다. 대표적인 승자독식의 게임이다. 가장 설득적인 PT를 해야 이긴다. 설득적인 PT는 감동적, 창조적, 환상적, 충격적 등의 키워드로 그 성격을 설명할 수 있다.

어떻게 해야 설득적인 PT를 할 수 있을까? 우선 프레젠테이션에 관한 책을 통해서 배울 수 있다. 하지만 당신 주변에는 책보다 더 실속 있는 교과서가 많이 있다. 그중에서 TV를 주요 교재로 생각하고 TV를 통하여 PT 스킬을 배우고 익혀라. 내가 생각하는 PT의 3요소는 '2P1C'다. Presenter(누가), People(누구에게), Contents(무엇을)가 그것이다. PT 기획자인 당신은 이 세 가지 요소를 잘 조화시켜 의미 있는 결과를 만들어내야 한다. 음식으로 치면 재료와 맛이고, 음악으로 치면 오케스트라의 화음이다. Presenter는 뉴스의 경우 앵커이고 날씨 방송의 경우에는 기상 캐스터다. Contents는 뉴스 내용 그 자체다.

People은 물론 시청자다. 각각의 요소를 세분하여 살펴보자.

먼저 프레젠터(Presenter)다. 여기에 네 가지 성공 요소가 있다.

첫째는 발표 스킬이다. 또렷한 발음과 리듬 좋은 목소리로 콘텐츠를 전달해야 한다. 적당한 제스처와 함께 자연스러움과 세련됨, 거기에다가 얼굴도 미남미녀라면 금상첨화다. 지름길은 없다. 꾸준한 관심과 반복적인 훈련을 하는 것이 왕도다. 특히 기상 캐스터를 주목해 보라. 짧은 시간에 설득적인 PT를 위해서는 남모르는 노력을 했을 것이다. 당신의 중요한 프로젝트를 전 국민에게 PT를 한다고 가정해 보라. 기상 캐스터들보다 잘 할 수 있는가?

두 번째는 전문적인 역량이다. 전문적이지 않으면 금세 티가 난다. 마치 뜸이 들지 않은 밥을 먹는 경우와 같다. 양념이 제각각으로 겉도는 반찬과 같다. 그냥 보고 읽는 인상을 준다. 설득적이지 못하다. 공감도 멀어지고 신뢰성은 저 멀리 도망친다. 전문성은 문제해결 능력이다. 신뢰성 있는 약속이기도 하다. 전문적인 역량이 뛰어나면 당연히 자신감이 넘친다. 스포츠 중계에서 시청자는 해설가의 이야기에 귀를 기울인다. 왜 그럴까? 전문성을 바탕으로 한 그들의 자신감 때문이다. 관련 분야에 대한 철저한 공부만이 그 해답이다.

세 번째 요소는 열정이다. 승부수라고 할 수 있다. 열정은 스킬과 전문성을 바탕으로 PT를 완성시키는 힘이다. 다시 말해 설득을 이끌어내는 엑기스다. 열정은 목소리가 크고 동작이 요

란한 것이 아니다. 혼이 들어가 있어야 한다. 절실함, 진정성이
담겨야 한다.

네 번째는 개성이다. 붕어빵 프레젠터가 되어서는 안 된다. 마
치 같은 학원에서 같이 배운 것 같은 느낌이 들면 안 된다는 말
이다. 사람은 누구나 자신만의 개성이 있다. 뛰어난 프레젠터는
자신만의 개성이 물씬 풍기는 아우라가 있다. 역할 모델을 정해
서 연습하는 것도 좋은 방법이다. 당신의 역할 모델을 지금 당
장 정하라. 손석희, 김상중, 대통령 등….

다음은 콘텐츠(contents)다.

좋은 콘텐츠를 만들기 위해서는 먼저 주제가 명확해야 한다.
PT의 주제는 청중이 듣고자 하는 내용, 궁금해하는 것에 대한
해결책(solution)을 담아야 한다. 콘텐츠는 스토리텔링으로 구
성하는 것이 효과적이다. 콘텐츠를 담는 그릇을 예쁘게 만드는
것 또한 중요하다. 음식도 담는 그릇이 예쁘면 더욱 맛있어 보
인다. 광고 PT의 경우 전략과 표현물이 콘텐츠다. 콘텐츠를 담
는 그릇은 지면과 동영상의 형태인데 명품 수준의 아트감각을
담아야 승리한다.

콘텐츠는 메시지다. 로고스는 메시지의 본질 또는 청자에게
명확한 증거를 제공하기 위한 논리다. 아리스토텔레스의 주장
에 따르면, 인간은 근본적으로 결정을 내릴 때 합리적인 이치에
근거하는 이성적인 동물이라고 한다. 메시지가 이와 같이 설득
의 수단을 통해 전달될 때, 청자는 당신을 설득력 있고 신뢰할

수 있는 사람이라고 인식한다. 물론 요즈음에는 이성적 설득과 감성적 설득을 탄력성 있게 구사해야 설득력이 한껏 높아진다.

마지막으로 듣는 사람(People)이다.

여러 번 등장하는 말이지만 '지피지기 백전불태'가 가이드라인이다. 청중의 생각이나 견해에 대하여 충분한 사전 분석을 해야한다. 분석을 잘하면 청중을 상대하기가 한결 편안해진다. 그만큼 프레젠테이션을 설득력 있게 진행할 수 있다. 네 가지를 핵심 체크해야 하는데 청중의 규모, 관심사, 참여도, 경험과 지식수준이 그 해당 사항이다.

청중의 규모에 따라 상호작용과 피드백이 달라진다. 규모를 사전에 파악해야 하는 이유다. 청중의 최우선 관심사 파악 역시 청중 규모만큼이나 중요하다. 자칫 헛수고 프레젠테이션이 될수 있다. 청중의 공통 관심사를 미리 파악하여 청중의 호기심을 자극하면 주목도를 높일 수 있다. 청중과 호흡을 같이하는 PT가 설득력이 높은 PT다. 프레젠터는 청중의 참여도를 위해서 질문에 답한 청중에게 간단한 선물을 나눠주기도 하고 유머로 시선을 모으기도 한다. 청중의 눈높이에 맞는 PT를 해야 한다. 같은 내용을 전달한다 해도 청중의 수준에 따라 해석이 달라지기 때문이다.

광고업에 있어서도 광고주의 업종에 따라서 청중의 태도 변화가 다양하다. 경험상 대학교수, 신문사 기자를 대상으로 하는 PT가 가장 까다로웠다.

설득 10계명

설득의 중요성을 '설득의 10계명'이라는 이름으로 요약 정리했다. 설득은 영어로 Persuasion인데, 마침 알파벳 10자로 구성되어 있다. 여기에 '계명'이라는 강력한 실천의지를 덧붙여 담아보았다.

Passion

Emotion

Relationship

Story

Unusual

Attention

Simple

Insight

Object

Nature

Passion

2002년 월드컵 4강 신화는 두고두고 우리들 기억에 남아 있다. 그 기적을 이루어낸 저력에는 붉은 악마가 있다. 좀 더 정확히 말하면 붉은 악마의 응원 열정일 것이다. 그 열정이 선수단을 설득시켰고 그 결과가 4강이라는 값진 선물로 나타났다.

헤밍웨이(Ernest Hemingway, 1899~1961)의 『노인과 바다』

에서 노인은 상어와 사투를 벌이며 말한다.

"사람은 파멸당할 수는 있을지언정 패배하지는 않는다."

노인이 보여준 집념은 결국 하늘을 설득시킨다. 운명마저 설득하는 힘, 그것은 열정이다. 집념이다.

라 로슈푸코(Francois de la Rochefoucauld, 1613~1680)는 『잠언과 성찰』에서 다음과 같이 말한다.

"오로지 열정만이 언제나 설득에 성공하는 유일한 웅변가이다. 열정은 절대로 실패할 리가 없는 규칙들을 구비한 선천적인 웅변술과 같다. 그래서 말솜씨가 가장 모자라는 사람도 어느 정도 열정을 품고 있는 경우에는 말솜씨가 가장 뛰어나지만 열정이 전혀 없는 사람보다 더 큰 설득력을 발휘한다."

Emotion

광화문 거리에 가면 또 하나의 설렘을 만날 수 있다. 바로 교보빌딩의 대형 현수막이다. 문학적 글귀에 감성을 건드리는 문구는 매번 나의 마음을 흔들어 놓는다. 이러한 일을 하는 기업이라면 사람으로 치면 신뢰감이 가는 참 괜찮은 사람을 만난 것 같은 인상을 갖게 된다.

집 근처에 있는 뚝섬유원지에서 산책하다가 수영장 철조망에 걸려 있는 현수막을 보았다.

"저 때문에 한강이 더러워지면 마음이 아픕니다 – 쓰레기 올림"

현수막을 본 이후로 절대 쓰레기를 버리지 않는다. 감성적인 문장 때문이다. 작은 차이가 큰 승부를 결정한다. 결국 감성이 승부수다. 설득의 문턱을 넘어오게 하는 것은 감성의 역할이 강하다.

윌리엄 오빌 더글러스(William Orville Douglas, 1898~1980)는 오랜 기간 미국의 연방 대법원 판사로 재직했다. 그런 그도 설득과 감성에 대하여 다음과 같은 말을 남겼다.

"우리가 내리는 결정의 90퍼센트는 감정에 의해서 좌우되고 있다. 그리고 남아 있는 논리적 사고는 자신들의 결정을 옹호하기 위해 쓰고 있다."

Relationship

당장의 이해득실보다는 중·장기 관점으로 접근하는 것이 설득에 용이하다. 당신이라면 오로지 물건만을 팔아먹으려고 몰두하는 가게에 가고 싶은가? 아니면 인사도 하고 안부도 묻는 등 마음까지 나누는 가게에 가고 싶은가? 오랜 시간 함께하는 좋은 관계가 될 것이라는 데 초점을 두고 커뮤니케이션할 때 설득력은 높아진다. 다음 시(詩)를 주목해 보라.

태산이시다

- 김주대

경비 아저씨가 먼저 인사를 건네셔서 죄송한 마음에
나중에는 내가 화장실에서든 어디서든 마주치기만 하면
얼른 고개를 숙인 거라.
그래 그랬는지 어쨌는지는 모르겠지만
아저씨가 우편함 배달물들을 2층 사무실까지 갖다 주기
시작하시데.
나대로는 또 그게 고맙고 해서
비 오는 날 뜨거운 물 부어 컵라면을 하나 갖다 드렸지 뭐.
그랬더니 글쎄 시골서 올라온 거라며 이튿날
자두를 한 보따리 갖다 주시는 게 아닌가.
하이고, 참말로 갈수록 태산이시라.

Story

프랑스 철학자 파스칼(Blaise Pascal, 1923~1662)의 말이다.
"일반적인 사람들은 다른 사람이 제시하는 판단보다 자신이
스스로 발견한 판단에 의해 설득이 더 잘된다."
스토리는 상대방이 스스로 판단을 내리게 하는 데 도움을 준
다. 자연스럽고, 쉽고, 재미와 흥미도 들어 있다. 관심을 불러
일으킬 수가 있다. 일방적으로 다가가는 푸시보다는 알아서 찾
아오도록 하는 끌어당김이 있다.

검은색 산딸기 복분자.

기력보강제로 많이 쓰인다. 복분자 이름에는 다음과 같은 유래, 즉 스토리가 있다.

"옛날 한 부부가 늘그막에 대를 이을 아들을 얻었다. 그러나 그 아들은 너무나 병약하였다. 좋다는 약은 모두 구해 먹였으나 별 효과가 없었다. 어느 날 지나가던 스님이 산속의 검은 딸기를 먹으면 건강해진다고 권하여 먹였다. 아들은 튼튼해져서 소변을 볼 때마다 요강이 뒤집혀질 정도였다. 그래서 이 딸기의 이름을 엎어질 복, 요강단지 분, 아들 자를 사용하여 복분자라고 하였다."

이러한 스토리를 듣고 나면 복분자를 한번 찾아 먹고 싶지 않은가? 그 어떤 설득의 방법보다도 효과적이다. 스토리의 힘이다.

Unusual

아래 제시하는 것은 같은 의미의 제목이다. 느낌은 전혀 다를 것이다. 당신은 어느 제목에 더 관심이 가는가?

1안) "설득이 경쟁력이다."
2안) tjfemrdlrudwodfurdlek설득이경쟁력이다

설득에는 흔하지 않음, 즉 색다름이 있어야 한다. 어찌 보면 거창한 것만이 능사가 아니다. 한마디 말이나 행동이라도 약간의 색다름을 준다면 설득력 또한 색다르게 달라진다. 미국의 케

네디(John F. Kennedy, 1917~1963) 대통령은 "우리는 소련을 제치고 항공우주 분야의 세계 1위가 될 것이다."라는 말을 "우리는 금세기 말에 인간을 달에 착륙시키고 무사히 지구로 귀환시킬 것이다."라고 색다르게 말했다. 마이크로소프트의 빌 게이츠(Bill Gates)는 TED 강연에서 말라리아로 고통받고 있는 최빈국에 대한 관심과 지원을 유도하려는 목적을 가지고 있었다. 그는 가난한 사람들만 말라리아에 감염될 하등의 이유가 없다고 하면서 청중을 향하여 모기를 직접 풀어놓았다. 청중의 반응은 컸고 강연은 대성공이었다. 색다른 연설 및 퍼포먼스를 기획한 덕분이다.

여행의 가치는 낯설음에서 얻을 수 있는 신선함이다. 설득도 마찬가지다. 낯설음에서 오는 '어!' 하는 소름이 있어야 상대방이 당신의 메시지에 주목하게 된다.

Attention

소비자 광고 수용과정에 대한 '아이드마(AIDMA) 법칙'에서 보듯이 설득의 첫 관문은 상대방으로 하여금 당신의 말에 주의를 기울이도록 하는 것이다. 영어로는 "Please pay attention to what I am saying."이라는 표현이다. 시집으로 본다면 서시(序詩)의 역할이다. 이를테면 대문 같은 역할이다. 서시의 감흥을 가슴에 안고 시집 본편의 세계로 들어서게 된다. 소설이나 각종 글쓰기도 그래서 첫 문장을 중요시한다. 일종의 덫이라고도 할 수 있겠다. 꼼짝없이 붙잡히게 된다. 설득되는 것이다.

신경숙의 『엄마를 부탁해』를 펼쳐 보면 다짜고짜 이런 첫 문장이 나온다.

"엄마를 잃어버린 지 일주일째다."

독자는 '엄마의 실종'이라는 떨쳐버릴 수 없는 사건 속으로 어쩔 수 없이 빠져들어간다. 설득된 것이다. 신문 기사나 광고의 헤드라인은 주의를 확보하는 결정적인 역할을 한다. 그 역할에 따라 본문 기사나 광고의 설득력이 좌우된다. 상대방에게 처음부터 주의를 환기시켜야 본론을 거쳐 결론으로 이어져 설득이라는 마무리 단계에 이른다.

Simple

영국 케임브리지대 심리학자 케빈 더튼(Kevin Dutton)은 초설득(Supersuasion)을 말하면서 단순성을 그 구성요소의 하나로 삼았다. 사람의 뇌는 짧고 단순한 말에 쉽게 설득된다는 것이 그 이유다. 간결함은 최고의 전문성이다. 세계적인 광고전문지 〈애드 에이지(Advertising Age)〉는 20세기 최고의 광고 카피를 선정한 바 있다. 선정된 카피들의 공통점은 간결함이다. 그중에서 몇 가지를 소개한다.

다이아몬드는 영원히(Diamonds are forever - 드비어스)
일단 한번 해봐(just do it - 나이키)

소설가 마크 트웨인(Mark Twain, 1835~1910)은 간결함에 대하여 이렇게까지 표현한 바 있다.

"설교가 20분을 넘어가면 죄인도 구원받기를 포기해 버린다."

그래서일까? 요즈음 결혼식에 가보면 주례사가 예전보다 매우 짧고 간결해졌음을 알 수 있다. 간결함의 가치를 공감하기 때문이다. 그만큼 주례사 역시 설득력이 높아졌다. 설득화법 전문가들은 설득의 간결함을 획득할 수 있는 방법으로 다음과 같은 방법을 조언하고 있다. 결론 위주로 생각하라. 연역 화법을 구사하라. 1, 2, 3 등 숫자를 활용하라. '333의 법칙'을 적용하라.

Insight

아파트 로비에서 연세가 지긋해 보이는 택배 기사가 택배 물품을 분류하고 있었다. 혹시 내가 기다리던 택배가 있는지 확인해 보니 마침 분류 리스트에 포함되어 있었다. 내 입장에서는 그 택배 기사님의 수고를 덜어드릴 수 있겠다는 생각으로 내가 여기서 직접 가지고 가겠으니 그 물품을 달라고 요청했다.

그런데 예상 밖으로 택배 기사는 버럭 화를 내는 것이었다. 도와주는 것이 아니라 오히려 방해하는 것이라고 했다. 다른 사람들도 나처럼 자기 편한 대로 가져가게 되면 배달이 엉망이 된다는 것이다. 설득은 고사하고 한방 제대로 먹었다. 택배 기사의 입장을 고려하지 않았고 그분의 '일에 관한 원칙'을 알지 못했던 것이다.

인사이트(Insight)는 통찰력 혹은 깊은 이해라는 뜻이다. 설득의 관점에서 보면 상대방의 요구를 이해하는 고객지향 정신이다. 이는 역지사지를 통해서 나온다. 설득력은 또한 리더십이다. 조선 왕조 최고의 리더십이라고 할 수 있는 세종의 리더십은 세종의 역지사지에서 비롯되었다. 한글이 어찌 보면 세종의 역지사지 자세에서 나온 최고의 아웃풋이 아닌가 한다. 백성의 입장이 되어 보지 않고서는 도저히 만들어 낼 수 없는 것이기 때문이다.

Object

"어디로 모실까요?"
"기사님 가고 싶은 곳으로 아무 데나 가주세요"

어느 날 택시를 타고서 택시 기사분과 나눈 대화다. 회사 일이 제대로 되지 않아서 답답한 마음에 기사의 대답에 나도 모르게 내뱉은 말이다. 기사는 당혹스러워했다. 재수 없는 손님을 태웠다는 인상이었다. 목적지를 정하고 제대로 출발하기까지는 잠시 동안의 침묵이 흘러야 했다.

군대에서 사격 때문에 애를 많이 먹었다. 특히 주간 사격보다는 야간 사격을 하는 데 고생을 많이 했다. 왜 그럴까? 표적지가 보이지 않기 때문이다. 영점 조준을 하기가 어려우니 정확성이 떨어질 수밖에 없다.

설득도 마찬가지다. 목표가 명확하지 않으면 설득력의 정확성이 떨어진다. 명확한 목표가 없으면 바다 위를 정처 없이 떠다니는 일엽편주와 같다. 목표가 분명하다면 그 목표를 달성하는 방법이 보인다. 설득의 길을 찾는 첫 번째 과정은 '왜?'라고 하는 분명한 목표 설정이다.

Nature

연예인 군대 입소 TV프로그램을 재미있게 보았다. 붉은 모자 조교의 시범이 종종 등장한다. 숙달된 조교의 시범은 자연스럽다. 당연히 "와~!" 하는 반응이 나온다. 교육효과가 높은 것이다. 설득력이 높은 것이다.

'영원한 피겨 여왕' 김연아의 경기를 중계방송하는 상황이다. 김연아 선수의 연기가 펼쳐질 때마다 해설위원의 칭찬을 넘어선 탄식 어린 찬사가 쏟아진다. 영국 유로 스포츠에서는 다음과 같이 평했다.

"정말 믿기지 않았어요. 제가 본 것들 중 최고였으니까요. 저 연기는 못 가르칩니다. 시켜도 할 수 없는 거예요. 왜냐하면 천상에서 온 거니까요."

20세기 시작과 함께 '춤의 여신'이 혜성처럼 나타났다. 바로 미국의 무용가인 이사도라 던컨(Isadora Duncan)이다. 그녀는 최고 경지의 춤에 대한 철학을 다음과 같이 말했다.

"무용은 자연, 그 자체여야만 합니다. 자연의 아름다운 육체를 있는 그대로 무대에 올려놓을 때만이 살아 있는 무용이 되는 것입니다."

설득에 있어서도 마찬가지다. 자연스러움은 도달해야 하는 최고의 경지다. 상대방과 일대일로 단 둘이 만나 차 한잔하면서 일상적인 이야기를 하는 듯한 수준을 말한다. 물론 대단히 어려운 경지다. 그렇다고 포기할 수 없다. 최고의 설득력은 자연스러움에서 나온다.

5장. 방향 선택

이 산이 아닌가벼

"이 세상에서 중요한 것은 현재 어디에 있는가보다는
오히려 어느 쪽으로 가고 있느냐는 데 있다.
목적항에 닿을 때까지 어떤 때는 순풍을 타고,
때로는 역류를 만나 항해해야만 한다.
그러나 어떻게 하든 앞으로 나아가야 하며,
표류해서도 정박해서도 안 된다."

- 올리버 웬델 홈즈(Oliver Wendell Holmes,
  1809~1894). 의학자, 시인, 수필가, 평론가.

잘못된 방향, 엄혹한 대가

"여기가 아닌가벼~. 어느 전철역이요?"

한 지인이 다급하게 전화를 걸어왔다. 점심 약속을 한 몇 명의 사람들이 그를 기다리는 중이었다. 결국 그는 약속 시간보다 15분가량 늦게 도착했다. 전철역을 혼동했다는 것이다. 출구 번호도 잘못 알았다고 했다. 12시 약속이라는 시간에 집착하여 속도에만 신경을 쓰다 보니 방향을 정확하게 선택하지 못했다는 것이다. 그 지인은 지각에 대한 엄한 대가로 대낮부터 소주와 맥주의 폭탄주와 함께 다음과 같은 '허무개그 나폴레옹 시리즈'를 들어야 했다.

나폴레옹이 백만대군을 이끌고 히말라야 산맥을 올랐다.

갖은 고생 끝에 정상에 도착한 나폴레옹이 주위를 천천히 둘러보고는 "이 산이 아닌가벼~?" 군사의 절반이 죽었다.

나폴레옹 일행은 고전 끝에 다시 옆 산을 오르는 데 성공했다. 다시 주위를 둘러보던 나폴레옹 왈, "아까 그 산이 맞는가벼~?" 나머지 군사의 절반이 죽었다.

"나의 사전에 불가능은 없다."고 했던 나폴레옹, 하지만 좀처럼 산을 찾지 못하자 사전을 가져오라고 명령했다. 사전을 뒤지던 나폴레옹, "어라~, 이 사전이 아닌가벼~?"

그러자 옆에 있던 부관이 소리쳤다. "아무래도 이놈은 나폴레옹이 아닌가벼~!"

중학교 시절의 이야기다. 친구랑 달랑 둘이서 으름을 따라 간 적이 있었다. 으름은 생김새나 맛이 바나나와 비슷하다 하여 '코리안 바나나'로 부르기도 했는데, 어린 시절 그때 먹는 으름은 정말 맛있었다. 지금도 추억의 맛으로 여전히 입안의 침샘을 자극한다.

그날 으름을 따라 간 곳은 미동산인데, 그 지역에서 가장 높고 깊은 산이다. 많은 사람이 나무하러 갔다가 호랑이를 만났다는 믿거나 말거나 하는 전설의 고향이기도 했다. 오직 으름만을 쫓아 산짐승처럼 산속 이곳저곳을 헤매고 다니다가 문득 정신을 차려보니 지금 있는 곳이 어디인지를 알 수 없었다. 그 순간 두려움이 먹구름처럼 몰려왔다. 나와 친구 둘이 산속에서 고립된 것이다. 해도 기울어져서 어둑어둑해지고 있었다.

"여기요, 아무도 없어요?"

고래고래 울음 섞인 소리를 질러보았지만 아무런 대답이 없었다. 정말로 막막했다. 한참 후에 다행히 어른 일행이 우리의 소리를 듣고 찾아와서 겨우 빠져나올 수 있었다. 방향감각을 잃는다는 것이 이런 것인가 싶은 부서운 경험이었다.

허무개그라고 그냥 웃고 넘길 일만은 아닌 것 같다. 어린 시절의 추억이라고 낭만적으로만 생각할 일도 아닌 것 같다. 자신만의 내비게이션을 가지고 있지 못하면 삶이라는 숲에서 고립된다. 당신은 올라가야 할 산을 제대로 오르고 있는 중인가? 혹시 희미한 회색빛 미래의 길 앞에서 방황하고 있지는 않은가? 방향

설정이 올바르지 못하면 파생되는 문제가 이만저만이 아니다. 돈과 시간이 쓰레기처럼 버려진다. 좋은 성과가 나올 리 없다. 결국 다시 시작해야 한다. 악순환이 반복된다.

우리 각 개인의 인생 설계뿐 아니라 국가의 정책수립에서도 마찬가지다. 방향설정의 중요성은 아무리 강조해도 지나침이 없다. 배가 산으로 가는 것과 같은 인생이 되어서는 안 되겠다. 그 출발점은 올바른 방향의 설정이다.

전략적으로 생각해야 올바른 방향 선택이 된다

프랑스 작가이자 철학자인 사르트르(Jean Paul Sartre, 1905~1980)는 "인생은 B(birth)와 D(death) 사이의 C(choice) 다."라고 말했다. 나는 이 말을 인생에 대한 많은 표현 가운데 단연 최고의 말이라고 생각하고 있다. 그렇다. 인생은 선택이 다. 당신은 평소에 좋은 선택을 하고 있다고 생각하는가? 오늘 하루 얼마나 좋은 선택을 했는지 되돌아볼 필요가 있다. 어떤 선택을 했느냐에 따라 그 선택이 행운이 될 수도 있고 불행이 될 수도 있기 때문이다.

좋은 방향을 선택하기가 점점 더 어려워진다. 왜일까? 우리는 불확실성의 시대에 살고 있기 때문이다. '사회를 보는 거울을 가지고 있던 경제학자(Economist held a Mirror to Society)' 라는 평가를 받는 미국의 경제학자 갤브레이스(John Kenneth

Galbraith, 1908~2006)는 그의 저서『불확실성의 시대』에서 변화가 극심해서 미래를 점칠 수 없다는 의미로 현대를 '불확실성의 시대'라고 말했다. 현대가 이 정도라면 미래는 '불확실성의 시대 2.0'이 될 것이 분명하다.

정치, 경제, 사회, 문화 등 어느 분야에서건 확실한 예측이나 확답을 들을 수 없다. 아니 한치 앞을 내다볼 수 없다는 표현이 더 적절할 것 같다.

각종 자료에 따르면 현대인들은 자기 스스로 알게 모르게 이러한 불확실성에 대한 불안 장애를 안고 있다고 한다. 급변하는 환경은 불확실성을 더욱 심화시키고 있다. 물품, 자본, 인력이 5대양 6대주를 제집처럼 넘나들고 있다. 기회도 국경을 넘나들지만 위기 또한 국경을 넘나들며 확대 증폭되고 있다. 과학 기술의 급속한 발달로 인하여 영원한 승자도 영원한 패자도 없다. 어제의 승자가 오늘의 패자가 되는 일이 다반사로 벌어지는 세상이 되었다. 고객취향 및 수준이 급격히 변화하고 있다. 인터넷을 통하여 전 세계와 언제 어디서나 연결이 가능하다. 정보는 넘쳐흐르고 SNS 등 다양화된 미디어는 소비자들의 죽 끓듯 하는 변덕에 부채질을 하고 있다.

하기야 따지고 보면 인생은 불확실성을 극복해가는 과정이다. 그렇다면 불확실성을 극복하고 좋은 방향을 선택하기 위한 방법은 무엇인가? 우리의 인생에서 불확실성에 맞서서 최상의 선택을 해야하는 중요한 것은 결혼이다. 배우자의 선택을 이차, 삼차 방정식으로 풀지 않는다. 사실 배우자와의 만남은 우연인 경우가 많다.

밀란 쿤데라(Milan Kundera)의 소설『참을 수 없는 존재의 가벼움』에서 토마시와 테레자는 여섯 번의 우연을 거쳐 다져진 관계이고 그를 통하여 결혼에 이르렀다고 하지 않는가?

그러나 아무리 우리 인생이 불확실성의 연속이라고 해도 손을 놓고 우연에만 맡길 수는 없는 일 아닌가? 불확실함을 즐기라는 조언도 있다. 그러고 싶은데 묘안이 떠오르지 않는다. 그럼에도 불구하고 현실적으로 할 수 있는 좋은 방법은 체계적이고 합리적인 접근방법을 꾸준히 시도하는 것이다.

다시 말해 어떤 일을 계획하고, 확인하는 등 꼼꼼히 따져보는 것이다. 이것이 바로 우리가 학교, 직장 등 일상에서 많이 듣고 또한 한편으로는 부담을 느끼는 개념인 전략적인 사고방식이다. 전략적 사고는 최악의 상황에서 최선의 결과를 얻어내는 생각 기술이기도 하다.

전략적 사고의 쉬운 예는 이순신 장군이다. 이순신 장군처럼 사고하고 행동하는 것. 그것이 전략적 사고이고 최고의 전략가가 되는 방법이다. 이순신 장군의 전략적 사고에 돋보기를 들이대 형상화시켜본다.

다음은 국립외교원의 전봉근 교수가 한국일보에 기고(2014.7.9)

한 내용이다. 제목은 '이순신과 히딩크의 공통점'이다.

이순신 장군은 해전사뿐만 아니라 모든 전쟁사를 통틀어 보기 드문 23전 23승 무패 기록을 갖고 있다. 어떻게 이런 전과가 가능했을까. 바로 이순신 장군이 전략가이기 때문에 가능했다고 본다. 실제 그의 언행을 보면 무인에 앞서 뼛속까지 전략가였다. 전투는 반드시 유리한 장소와 시간을 골랐다. 사전준비가 충분치 않으면 전투를 피했다. 상대를 철저히 연구하고 결코 얕잡아 보지 않았다. 매번 더욱 강해진 상대. 나를 잘 아는 상대를 염두에 두고 새로운 혁신적 전략을 세웠다. 상대의 약점을 찾아 공격하고, 자신의 강점을 최대한 활용했다. 엄정한 기율과 솔선수범으로 목표의식이 투철한 조직을 만들었다.

전략적 사고

김재문의 책 『프로기획자의 전략적 사고』에서는 전략적 사고를 다음과 같이 네 가지 개념으로 쪼개어 설명하고 있다. 논리적 사고, 통합적 사고, 창조적 사고, 동태적 사고가 바로 그것이다. 네 가지 각각의 사고에 대하여 나의 경험과 의견을 첨가하여 전략적 사고에 대한 모습을 선명히 하고자 한다.

이를 통하여 당신 눈앞을 가로막고 있는 불확실성의 미세먼지가 다소나마 제거되어 좋은 선택을 하는 데 도움이 될 수 있기를 희망해 본다.

논리적 사고

논리적 사고란 논리적 형식에 적합한 사고, 즉 논리적 형식에 부합하는 추리나 판단을 이른다.

사전적인 정의가 머릿속에 쉽게 쏙 들어오지 않는다. 여기저기에서 자료를 찾아 공부를 하던 차에 진중권 교수의 의견을 만났다. 매거진 〈피플〉과 인터뷰한 내용 가운데 '논리적 사고'에 관련한 내용인데 시사하는 바가 크기에 소개한다.

Q. 논리적 사고를 위한 자신만의 훈련 방법이 있나요?

A. "논리는 자기 생각이 있으면 발전한다. 책을 읽어도 비판이든 동조든 자기 생각을 가지고 봐야 하는데 그렇게 하는 사람이 없다. 한국 교육에서도 문제인 것이 학생들에게 그들만의 견해를 묻지 않는다. 그냥 책에 나온 이론을 외웠는지 물을 뿐이다. 분명한 건 암기로 쌓는 논리는 한계가 있다는 것이다. 우선 자기 견해가 있어야 논리가 구축된다. 말하는 스킬의 문제가 아니라 견해의 문제다."

논리적 사고는 생각의 모양이나 생각의 연결, 생각의 순서 등을 앞뒤가 맞게 짜깁는 능력을 말한다. 흔히들 "말이 된다."라는 표현은 곧 논리적 사고가 된다는 의미다. 이렇게 "말이 된

다."는 것은 궁금증인 '왜?'의 물음에 대한 타당성 있는 의견제
시다. 따라서 '왜'를 생각하고 표현하는 습관을 가지는 것이 논
리적 사고를 기르는 중요한 방법이다. 다시 말해 호기심으로 무
장하는 것이다.

 지인 중에 '호기심 천국'이라는 별명을 가진 사람이 있다. 그는 매
사에 '왜? 왜? 왜?'를 입에 달고 다닌다. 그래서 그런지 세상만
사에 대하여 아는 것도 많고 반짝이는 아이디어를 자랑한다. 치
밀하고 논리적이며 주위 사람들로부터 일 잘하는 사람이라는
평을 듣는다.

 예전에 온라인 골프 동호인 모임에 참여한 적이 있다. 그런
데 동호인 회원 중의 한 사람이 좀 독특했다. 골프장은 매 홀마
다 거리가 표시되어 있다. 어느 날 라운딩 도중에 그 독특한 회
원이 실제로 독특한 행동을 했다. 표시되어 있는 홀 거리의 정
확성에 대하여 의문을 제기하는 것이었다. 파3홀에서 거리 표
지 안내판에 150미터라고 표시되어 있으면 그는 "실제 그 거리
가 150미터로 정확하냐?" 뭐 그러한 의문을 제기하는 것이었
다. 골프장에서 그러한 본원적인 질문을 하는 사람을 그때 처음
보았다. 그런데 더 보기 드문 사건이 벌어졌다. 그는 질문에 그
치지 않고 줄자를 가지고 와서 자신이 의문을 제기했던 거리에
대하여 실측을 했다. 정확성 여부를 떠나서 줄자까지 챙겨 와서
끈질기게 실측하는 그의 모습은 오버맨이라는 비난과 함께 매

우 치밀하고 논리적인 사람이라는 매력적인 평가를 동시에 얻었다. 의문점을 갖는 습관이 논리적 사고의 시작이다.

통합적 사고

통합적 사고는 흔히 나무와 숲의 관점으로 설명된다. 혹자는 빅 픽처 앤 디테일(Big picture and detail)이라고 표현하기도 한다. 말 그대로 어느 한 부분만 보지 말고 전체를 조망하여 사고하라는 것이다. 제외되는 것이 없도록 종합개념을 가지고 차근차근 하나씩 생각해 보라는 집합적 사고와 서로 중복되지 않고 빠지지 않게 하는 로직트리가 통합적 사고를 위한 전술적인 방법론에 해당된다.

히딩크(Guus Hiddink) 감독의 2002년 월드컵 팀은 시범 경기에서 프랑스와 체코에 0−5로 참패하는 등 연전연패를 거듭했다. 우리나라의 다혈질 언론은 흥분하지 않을 수 없었다. 히딩크 감독은 '오대영'이라는 별명을 얻었고 감독 해임까지도 논의됐다. 축구 팬들의 걱정도 이만저만이 아니었다. 하지만 히딩크 감독은 비판을 일축하고 이렇게 말했다.

"크게 지더라도 우리보다 전력이 강한 팀과 경기를 많이 치러봐야 한다. 중요한 것은 지금의 패배가 아니라 패배 뒤에 따라올 수 있는 월드컵에서의 값진 영광이다."

히딩크 감독의 말대로 월드컵 4강이라는 기적이 현실화되었다. 시범 경기에서의 패배라는 나무만 본 것이 아니라 월드컵에서의 값진 영광이라는 숲을 동시에 보는 히딩크 감독의 통합적 사고가 기적을 일군 핵심 요인 가운데 하나다.

스스로 신언서판(身言書判)의 기준에 부합하는 노력을 하는 것도 통합적 사고를 키우는 좋은 방법이다. 신언서판은 어느 뾰족한 일부분보다는 전인적인 자질이나 인격을 평가하는 것이기 때문이다.

예전에 어느 가구회사 기업PR 광고를 준비하고 있었다. 열심히 광고 소재를 찾고 있었는데 '특이한 인재 채용 방침'이 눈에 들어왔다. 인력을 채용하는 데 있어서 그 사람의 '고등학교 생활기록부'를 핵심적으로 본다는 것이었다. "인성이 좋은 사람이 인재다."라는 그 회사의 인재 기준 때문이었다. 인성이 좋다는 판단 근거는 학벌, 스펙보다도 '고등학교 생활기록부'를 살펴보면 잘 알 수 있다는 것이다. 인성이라는 키워드를 내세웠지만 사실은 통합적인 사고와 표현 능력을 보는 것이라고 했다. 신언서판은 나무는 물론이고 숲까지도 볼 줄 아는 통합적인 사람됨의 기준이라는 것이다. 매우 독특한 기준이라는 생각이 들어 이것을 소재로 한 광고 시안을 만들었다.

그러나 우여곡절 끝에 최종적으로는 인재 채용 방침이 아닌 기업 철학을 소재로 하여 광고를 제작했다. 세월이 많이 지났지만 그 남다른 인재선발 기준을 광고 소재로 하여 기업광고를 만들었다면 더 좋았을 텐데 하는 아쉬움이 남아 있다. 그 회사는 지금도 여전히 소비자들의 사랑을 받으며 초우량회사로 거듭나고 있다. 통합적 사고로 무장한 인재의 힘이 아닌가 한다.

창의적 사고

창의성에 관한 창의적인(?) 이야기다. 이야기를 들어본 사람들의 반응이 좋아서 소개한다. 제목은 '금붕어의 말씀'이다.

"나는 생각 없이 돌아다니지 않는다. 다른 녀석들이 지나간 길은 가지 않는다. 연구에 의하면 내가 간 길을 다시 갈 확률은 50만분의 1이다. 새로운 길을 가야 먹이를 찾을 수 있기 때문이다. 우리도 먹고 살기 힘들다."

창의적 사고는 기존의 방식에서 벗어나는 것이다. 남다름, 상상력, 고정관념 허물기 등을 가지고서 새로운 가치를 만드는 것이다. 또한 해결과제에 대한 새로운 솔루션을 제공하는 것을 말한다. 창의성의 실체를 정의하기는 쉽지 않다. 창의성을 높일 수 있느냐는 질문에 선뜻 답변하기 어려운 주된 이유이기도 하다. 다만 창의적인 결과물을 통하여 창의성이 무엇인가를 유추해 보는 것이 현실적인 방법일 것이다.

피카소의 작품을 가만히 바라보고 피카소가 한 말을 되새겨 보라.

"나는 라파엘로(Raffaello Sanzio, 1483~1520)처럼 그리기 위해 4년이라는 시간을 소비했다. 그러나 아이처럼 그리기 위해 평생을 바쳤다."

아인슈타인(Albert Einstein, 1879~1955)의 상대성 이론을 생각해 보라. 아인슈타인의 머릿속이 궁금해지지 않는가?

"모두가 비슷한 생각을 한다는 것은 아무도 생각하고 있지 않다는 말이다."

루치아노 베네통(Luciano Benetton) 회장의 철학을 들여다 보라.

"남의 뒤를 따르는 자는 성공할 수 없다."

찾고자 하는 그 창의성이 보이는가? 창의성 전문가들의 말도 참으로 창의적이다. 잘~ 보고, 잘~ 듣고, 잘~ 읽고, 잘~ 느끼라고 말한다. 그래서 창의성은 '잘~'이라는 것이다. 물론 유머다.

많은 사람이 창의력 하면 유대인을 최고로 꼽는다. 유대인 창의력의 핵심은 질문이다. 창의력은 질문을 먹고 크는 열매와 같다. 유대인들은 모르는 것도 당당하게, 때로는 뻔뻔스럽게 질문한다고 한다. 이것이 바로 '후츠파' 정신이다. 그들이 옛날부터 줄곧 유지하고 전승한 독특한 문화이며 습관이다. 후츠파는 '뻔뻔함', '오만함', '배짱', '놀라운 용기' 등 한마디로 정의하기 어려운 다양한 뜻과 의미를 내포하고 있다. 이처럼 누구나 다른 사람에게 뻔뻔할 정도로 질문하고 토론하는 습관이 세계에서 가장 많은 노벨상을 받게 하고 가장 탁월한 기술의 소유자로 만든 원동력이 되었다.

창의성을 원한다면 어느 누구에게든 당당하고 자유롭게 질문을 던져야 한다. '이런 질문을 해도 될까?'라고 주저하거나 포기해서는 안 된다. 던지는 질문을 통해서 전혀 기대하지도 예상하지도 못했던 새로운 아이디어와 창의성이 발견된다. 유대인 어머니는 학교 다녀온 자녀들에게 묻는다고 한다. "오늘 무슨 질문을 몇 개 했니?"라고 말이다. 애매하던 창의적 사고 기술. 이제, 분명해졌다. '질문'이 답이다.

동태적 사고

설, 추석 명절에는 어김없이 고스톱판이 벌어진다. 고스톱에 재주가 없는 나는 식구들로부터 늘 비난의 대상이 된다. 피박, 광박 등 이른바 대형사고의 주범이기 때문이다. 고스톱 게임의 본질은 동태적 사고다. 본인만 이익을 얻으려고 혹은 본인만 피해를 입지 않으려고 하면 본인은 물론이고 다른 사람들에게까지 민폐를 끼치기 때문이다. 잦은 고스톱 대형사고는 나의 동태적 사고의 현 수준을 말해주고 있다고 해도 틀린 말은 아니다.

동태적 사고는 사건 또는 변화의 움직임을 관찰하여 유연하게 대응하는 것이다. 사람과의 관계라고 치면 상대방에 대한 명확한 인식을 하는 것으로 시작한다. 반응을 일으킬 상대방이 누구인가? 상대방에 대한 범위는 어떻게 규정지을 수 있는가? 그에 따른 행동에 대한 반작용을 예측하는 것이다. 상대방이 어떤 반응을 보이느냐에 따라서 당신에게 미치는 영향은 달라지게 마련이다.

동태적인 작용, 반작용의 효과를 제대로 측정하기 위해서는 미래 지향적 관점에서 생각해야 한다. 야구 경기에서 수비수의 기본 사고는 작용과 반작용이다. 타구라는 작용에 대하여 잡은 타구를 각각의 상황에 따라 1루, 혹은 홈 송구 등 어디어디로 보내야 한다는 반작용으로 대응하는 것이다. 이러한 동태적인 사고와 행동을 잘하면 프로라는 평가를 받는다. 반대로 잘 해내지 못하면 아마추어라는 평가를 받는다.

"토요일 오전부터 차차 맑아지겠습니다. 그렇지만 아침과 오후의 기온차가 크겠습니다. 감기 조심하시기 바랍니다."

우리는 날씨예보에 귀를 쫑긋 기울인다. 오늘 날씨, 내일 날씨 그리고 다음 주 날씨에 이르기까지. 변화에 적절하게 대응하기 위해서다. 동태적 사고 체계가 왕성하게 작동한 결과다. 동태적 사고는 나비효과에 대한 대응이기도 하다. 당신의 생활 속에는 하루에도 수많은 나비효과 현상이 발생하고 있다.

"브라질의 작은 나비 한 마리의 날갯짓이 텍사스에 돌풍을 일으킬 수도 있는가?"

대답은 "있습니다."

나비효과는 "작은 변화가 엄청나게 큰 영향력을 갖춘 결과를 일으킬 수 있다."는 것이다. 더 좋은 선택을 하고 더 좋은 내일을 만들어가기 위해서는 이러한 변화의 징후들을 잘 활용하고 대응해야 한다. 지금 하고 있는 업무, 공부, 독서, 운동, 생각, 상상 등 이 모든 것들이 훗날 세상을 뒤흔드는 돌풍이 될 수 있다. 동태적 사고는 곧 나비효과를 당신의 생활 속으로 끌어들여 함께 생활하는 것이기도 하다.

방향 선택의 주인공은 나 자신이다

인생은 객관식보다는 주관식에 가깝다. 인생은 이과보다는 문과에 가깝다. 정답이 여러 개일 수 있기 때문이다. 실제로 우리들 인생도 한 가지 모양이 아니다. 사람 수만큼이나 다양하다. 그래서 더욱 자신감이 필요하다. 미국의 시인이자 사상가인 랄프 왈도 에머슨의 말이 이러한 의견을 지원한다.

"나 자신에 대한 자신감을 잃으면 온 세상이 나의 적이 된다."

올바른 방향 선택 역시 나 자신으로부터 나온다. 결론적으로 두 가지 기준을 가지길 바란다.

첫째, 굳은 신념

티베트 속담에 "서둘러 걸으면 라싸에 도착할 수 없다."는 말이 있다. 라싸는 티베트 자치구의 중앙부에 위치하는 도시이며 자치구의 청사 소재지이기도 하다. 티베트 각처에서 길게는 몇 년, 짧게는 열흘 이상 걸려서 도달하는 거리다. 순례자들은 당연히 빨리 가려고 서두르게 된다. 하지만 그 속도 때문에 목적지에 이르기 전에 지쳐서 쓰러지거나 병에 걸려 여정을 포기한다. 반면에 자기 속도를 유지하여 여행하거나 순례하는 사람들은 시간이 늦더라도 마침내 라싸에 도착하게 된다. '신의 거주지'라는 뜻을 지닌 라싸는 티베트인이라면 평생에 꼭 한 번 가봐야 할 순례의 성지라고 한다. 라싸에 가는 것은 인생 최대의 소원이자 기쁨이다.

언젠가 라싸로 가는 순례자들의 모습을 담은 TV다큐멘터리를 본 적이 있다. 그들은 그냥 걸어가는 것이 아니라 오체투지를 하면서 나아간다. 오체투지란 부처님께 귀의하여 공경, 예배하는 큰절의 형태다. 자신을 무한히 낮추면서 상대방에게 최상의 존경을 표시하는 몸의 동작이며 교만과 거만을 떨쳐버리는 가장 경건한 예법이라고 알려져 있다.

한 걸음 한 걸음 옮겨가는 순례자의 모습은 경건함과 감동 그 자체다. 마치 강물을 거꾸로 거슬러 오르는 연어를 보는 듯한 대자연의 신비한 법칙이라는 느낌마저 든다. 나무에 가죽을 붙인 나무 장갑은 오체투지를 하는 순례자들에게는 필수품이다. 먼 거리에서 출발한다면 수십 개를 준비해야 한다. 땅에 닿게 절을 해야 하기 때문에 가죽 앞치마도 몇 장씩을 준비한다. 해지면 기우고 또 기워서 사용한다. 가파른 산을 오르고 계곡을 건너고 자갈길을 지나 얼음 덮인 빙판길을 지나간다. 의문이 생긴다. 그 험한 고행을 감내하면서 그들은 왜 가는 것일까? 그리고 끝내 가고야 마는 그 힘은 무엇일까?

그들의 이야기를 들어보자.

"저는 지금 라싸로 순례를 가면서 제 생에서 가장 의미 있는 일을 하고 있습니다."

"아들이 죽고 나서 많이 힘이 듭니다. 하지만 사람이 이 세상에 와서 어차피 겪어야 하는 일입니다. 라싸로 가는 순례의 길에 제 몸을 바칩니다. 스스로 이렇게 힘들게 고생하면서 살아 있는 모든 생명을 위해 기도합니다. 그 과정에서 점차 저희도 마음의 안정과 기쁨을 찾게 되었습니다."

"앞으로 저는 어떠한 사람이 되어야 하는가를 간절히 기도했습니다."

티베트 사람들에게 라싸는 도달하고자 하는 정확한 방향이고 최종 목적지다. 그곳은 자신의 영혼을 비추는 거울이다. 오체투지의 불가능을 가능하게 만든 것은 가고자 하는 방향에 대한 굳은 신념이다.

라싸로 가는 티베트 사람들의 모습은 나의 인생 방향에 대한 신념이 어느 정도의 수준인가를 비교해 보고 다잡는 계기가 되었다. 지금 당신의 신념은 그 견고함이 어느 정도인가?

둘째, 내면의 소리

가끔 '옛날에는 왕에게 제공하는 요리를 누가 담당했을까?' 하고 궁금해 했다. 그 어느 일보다도 민감한 사안이었기 때문이다. 상식적으로 생각해 보면 궁녀나 상궁 나인들의 모습을 떠올리게 된다. 또한 응당히 여성들이 임금의 진지를 짓던 수라간을 책임졌을 것이라고 생각했다.

그런데 실제로 조선시대 궁중요리를 담당하는 요리사는 남성이었다. 그 시절 잔칫날을 그린 그림을 살펴보면 분주히 움직이는 남성 요리사들의 모습을 확인할 수 있다.

조선시대 수라간의 재미있는 비밀 중 하나다. 나아가 역사에 전설적인 요리사로 등장하는 이윤과 역아도 남자다. 이윤은 요리사로 출발하여 상나라 탕 임금의 재상이 된 사람이다. 또 다른 한 사람인 역아는 춘추시대 제나라 환공(桓公, B.C. 685~643)의 전속 요리사였다.

이러한 확실한(?) 증거에도 불구하고 왕의 요리사가 남자였다는 사실은 여전히 어색하게 다가온다.

역사적 사실은 그렇다 치고 요즈음을 '남성 요리사의 전성시대'라고 불러도 과언이 아니다. 요리사보다는 셰프라고 더 많이 불리며 TV만 틀면 그들의 모습을 쉽게 볼 수 있다. 그들은 요리사이기도 하지만 유명한 공인이기도 하다. 광고 모델로도 크게 활약하고 있어서 커진 영향력을 실감할 수 있다. 남성 셰프 전성시대라는 풍경을 보면서 그 의미를 생각해 보았다. 그들이 처음 요리사의 길로 들어선 시기는 지금으로부터 꽤 오래 전이다. 그 당시에도 남자 요리사라는 직업이 지금처럼 인기가 있었을까? 상식적인 기준으로 보면 전혀 그렇지 않았을 것이다. 실제로 남자가 무슨 요리를 하느냐는 주위의 비아냥과 부모의 심한 반대가 함께 있었다.

오래 전에 집안에서 있었던 일이다. "남 보기 부끄러워서 말을 못하겠다."며 고모님이 뜻모를 하소연을 했다. 고모님의 막내아들, 나에게는 고종사촌 동생인데 그 동생이 하는 짓이 영 못마땅하다는 것이었다. 그 동생은 이른바 '당구에 미친' 대학생이었다. 오직 당구에 살고 당구에 죽는다는 자세였다. 교육자 집안의 막내아들이 하라는 공부는 외면한 채 오직 당구 외길을 고집하고 있었으니 걱정이 클 수밖에 없었다. 당시 고모부는 고등학교 교장이었다. 친척들도 놀라기는 마찬가지였다. 동생의 체격이나 성격으로 볼 때 당구와는 전혀 어울리지 않는다고 생각했기 때문이다.

어느 날 한바탕 소동이 벌어졌다.

놀랍게도 동생이 경기하는 모습이 케이블TV에 방송되었다. 흰색 와이셔츠에 나비넥타이를 맨 모습이 보이고 차세대 당구 유망주라는 해설위원의 칭찬이 이어졌다. 그날 이후로 당구인 동생에 대한 친인척들의 왈가왈부는 끝났다. 우리 집안에서 TV에 나와 본 사람이 어디 한 사람이라도 있었느냐며 동생의 대견함에 박수를 쳐주었기 때문이다. 나아가 동생의 선택에 대하여 격려해 주었다. "이제는 뭔가 다른 것을 해야 한다. 새로운 것을 해야 한다."라고 하면서 말이다.

우리는 자신이 좋아하는 것이 있어도 실행하지 못하는 경우를 많이 경험한다. 주위의 눈치를 보기 때문이다. 요리사의 길을 가고 당구인의 삶을 만든 것은 자신이 좋아하는 것을 과감히 실천으로 옮긴 결과다. 나는 그들의 탁월한 선택에 박수를 보낸다. 시대를 앞선 선택이기 때문이다. 그들의 최우선 선택기준은 바로 '나 자신'이었다. 돈, 명예, 권력은 그다음이었다.

"모두가 '예'라고 할 때 '아니오'라고 할 수 있는 친구, 그 친구가 좋다."

오래 전에 관심을 끌었던 어느 기업의 광고 메시지다. 남다름을 실행으로 옮긴다는 것은 광고처럼 쉽지 않다. 대단한 용기가 필요하다. 공자도 말했다.

"지지자(知之者)는 불여호지자(不如好之者)요, 호지자(好之者)는 불여락지자(不如樂之者)니라."

단지 알기만 하는 사람은 좋아하는 사람만 못하고 좋아하는 사람은 즐기는 사람만 못하다는 뜻이다.

작가이자 컨설턴트인 스티브 도나휴(Steve Donahue)도 그의 저서『사막을 건너는 여섯 가지 방법』에서 "우선적으로 자기 자신을 안내해 줄 내부의 나침반부터 찾아야 한다."고 강조하고 있다.

나의 나침반은 어디서 찾을 수 있나? 결국 '나'에게서 찾아야 한다. 내가 가장 잘하고 가장 좋아하는 것, 그것을 발견해야 한다. 많은 사람이 자기 자신에 대하여 잘 모르거나 과대평가하거나 혹은 과소평가한다. 정확하고 냉정한 자기 분석 및 진단을 해서 내면의 소리를 들어야 한다. 그 내면의 소리, 또는 깊은 내면의 욕구가 바로 자신의 나침반이다.

셰익스피어는 "이 세상은 연극무대, 모든 인간은 배우일 뿐이다. 그들은 잠시 등장했다가 퇴장한다."고 말했다. 사실 인생이라는 연극에서 나를 대신할 배우는 없다. 스스로가 주인공이 되어서 살아야 함이 최우선이다. 그러나 그것이 보통 사람에게는 쉬운 일이 아니다. 다른 사람의 배역에서도 배울 점이 많다. 열린 마음으로 그 배울 점을 발견하여 내 것으로 만들어 보자.

롤모델

루이스 캐럴(Lewis Carrol, 1832~1898)의 소설 『이상한 나라의 앨리스』에서 앨리스는 갈림길에 맞닥뜨리게 된다.

체셔 고양이가 나타나자 앨리스가 물었다.
"내가 어디로 가야 하는지 길을 알려 줄래요?"
고양이는 대답한다.
"그건 네가 어디로 가고 싶으냐에 달렸지."
엘리스는 개의치 않는다는 듯 답했다.
"난 어디로 가든지 별로 상관없어요."
그러자 고양이가 다시 물었다.
"그렇다면 어느 길을 고르든 상관없잖아?"
앨리스가 답한다.
"어딘가에 도착하기만 하면 돼요."
고양이가 답한다.
"그럼, 넌 분명히 도착할 거야, 계속 걷다 보면."

우리도 살다 보면 앨리스와 같은 경우를 많이 접하게 된다. 당신은 인생의 길을 가다가 어느 길로 가야 할지 몰라 방황할 때

물어볼 누군가가 있는가?

　어느 날 아내로부터 남다른 핀잔을 들었다. 굳이 남다른 핀잔이라고 표현한 것은 잦은 음주, 늦은 귀가, 휴일 잠자기 등 이 시대의 많은 남편이 듣는 그런 핀잔이 아니었기 때문이다. 아내는 이런 말을 했다.

　"당신은 어린 시절 아버지와의 추억에 대한 이야기를 많이 하더라. 그러면서 은근히 아버지 자랑도 하고 존경하는 것 같아요. 그런데 애들 눈에 비치는 당신의 모습은 자기가 기억하는 시골 아버님의 모습일까? 아닌 것 같아요. 애들 좀 신경 써요. 아버님하고는 거리가 먼 아빠가 돼가는 것 같아 안타까워요."

　초등학교 교사였던 아버지는 원칙주의자이면서 인자했다. 늘 '몸 튼튼, 마음 튼튼'의 기본을 강조했다. 이제 와서 생각해 보니 나에게는 아버지가 나의 롤모델이었다. 그래서 나도 모르게 아버지와의 추억이나 아버지의 자랑스러운 점을 자주 이야기하게 되었다. 반면 아내는 내가 자식들에게 롤모델이 될 가능성에서 멀어지는 것을 걱정한 것이다.

　내가 다닌 고등학교에서는 '선배와의 대화'라는 이벤트가 있었다. 대학생 선배들은 자신이 다니고 있는 대학 PR 오리엔테이션을 했다. 반면에 졸업한 지 오랜 시간이 지난 이른바 대선배들은 "인생을 어떻게 살아가야 하는가?"에 대한 조언을 해주었다. 요즈음으로 치면 '선후배 간의 인생 진로 토크쇼', 혹은 '선배와 함께하는 인문학 토크쇼'와 같은 성격의 자리였다.

선배들의 여러 말 중에서 특히 기억에 남는 것은 방향성, 즉 진로 선택의 중요성이었다. 어느 선배는 의대를 다니다가 법대로 전공을 바꾼 자신의 특이한 경험담을 이야기했다. 적절한 선택을 하지 못해서 심한 고생을 했다는 결론이었다. 선배들과의 대화시간이 끝나고 담임 선생님의 말씀이 이어졌다. 오늘 좋은 말을 해준 선배들을 인생의 롤모델로 삼으라는 것이었다. 아마 나는 롤모델이라는 단어를 그때 처음 들었던 것 같다.

학생들의 반응도 좋았던 것으로 기억한다. 선배들의 말에 대한 리뷰뿐만 아니라 자신의 진로에 대하여 진지하게 생각하고 서로 이야기를 나누었다. 선배와의 대화가 있던 그날, 전체적으로 들뜬 분위기와는 다르게 한 친구가 차분하게 롤모델에 대한 자신의 이야기를 했다.

"나에게는 이미 롤모델이 있다. 아주 가까이에 있다. 바로 우리 학교 수학선생님이다."

그 친구는 오랫동안 선생님의 모습을 지켜보니 자신도 그렇게 선생님을 닮아가고 싶다는 생각이 들었다고 했다. 친구는 실제로 대학에서 수학을 전공하고 나중에 고등학교 수학선생님이 되었다. 수학선생님을 천직으로 알고 지금도 열심히 학생들을 가르치고 있다. 수학선생님을 롤모델로 삼아 좋은 방향선택을 한 것이다.

국가를 경영하는 지도자도 올바른 방향을 선택하는 데 롤모델을 등대로 삼았다. 또한 각 분야에서 세계 정상에 오른 사람들도 롤모델을 정해 놓고 롤모델로부터 강한 동기부여를 얻었다.

고 노무현 대통령은 2001년 11월 늦가을 『노무현이 만난 링컨』을 펴낸 바 있다. 링컨(Abraham Lincoln, 1809~1865)을 연구한 저서다. 노무현 대통령이 링컨을 얼마나 생각했는지를 웅변하는 것이라고 말할 수 있다. "이 책은 나의 관점을 링컨의 삶에 투사한 것이다."라고 밝힐 만큼 노 대통령은 자신의 모습을, 자신의 꿈과 비전을 링컨의 삶에서 찾고자 했다.

링컨은 노무현 대통령의 롤모델이었다. 노무현 대통령이 가장 존경하는 인물이 누구냐는 질문을 받았다면 분명 링컨 대통령을 꼽았을 것이다. 힘들고 좌절하고 포기해버리고 싶을 때마다 링컨 대통령을 떠올리며 극복의 의지를 다졌을 것이다. 그래서 그런지 두 사람의 인생 역정은 너무도 닮았다. 가난한 집안 출신, 낮은 학력, 노동자 생활, 변호사 개업, 거듭된 선거에서의 낙선, 논쟁(링컨)과 청문회(노무현)로 전국적 인물로 부상, 동서화해(노무현)와 남북화해(링컨), 그리고 대역전의 드라마 연출, 양국의 16대 대통령 당선 등 두 사람은 판박이 인생 바로 그것이었다. 링컨과 노무현 대통령의 관계는 "롤모델이란 이런 것이다."라고 말해주고 있다 해도 과언이 아닐 것이다.

TV 방송 드라마 〈응답하라 1988(소위 응팔)〉의 등장인물로 바둑 천재가 한 사람 나온다. 그의 실제 모델이 이창호 9단이라는 말에 이의를 달 사람은 없을 것이다. 우리나라 프로바둑 기사 이창호 9단. 그는 누구인가? 결론적으로 1990년대 초반에서 2000년대에 걸쳐 세계 최강의 기사로 불렸던 인물이다.

여러 분야에서 국민에게 희망과 감동을 준 사람들이 많은데 바둑에서는 이창호 기사가 그 역할을 했다. 오랫동안 세계 바둑계의 정상에서 세계 바둑계를 호령했다. 연일 우리에게 쾌거를 전해주었고 통쾌함을 안겨주었다. 한 지인은 그의 기보(碁譜)를 고이 접어 가지고 다니면서 마치 성경이나 불경을 읽듯이 했다. 그러한 이창호의 성공에도 롤모델의 역할이 있었다. 바로 스승 조훈현이다.

그는 『이창호의 부득탐승』에서 롤모델로서의 조훈현에 대한 이야기를 소상히 밝혔다. 그가 스승 조훈현을 존경하는 이유는 단순히 스승이기 때문이거나 '최고의 승부사'이기 때문이 아니라고 했다. 견디기 어려운 시련이 닥쳤을 때 좌절하지 않고 최선의 길을 찾아 애초 가슴에 품었던 꿈보다 더 큰 성공을 이룬 그의 집념과 열정의 모습을 존경했다고 한다.

김연아. 아마 그 이름은 우리가 가장 사랑하는 이름 중의 하나다. 그녀는 이렇게 기록되고 있다. '피겨 여왕', '피겨 여제', 'Queen Yuna'라는 수식어와 함께 세계 피겨스케이팅 역사상 최고의 선수들 중 한 명이자 대한민국이 배출한 역대 최고의 스포츠 스타 중 한 사람. 김연아 선수에게도 롤모델이 있었다. 미국의 피겨스케이팅 선수인 미셸 콴(Michelle Wing Shan Kwan)이다.

김연아 선수는 평소에 미셸 콴이라는 롤모델을 바라보며 힘든 과정을 이겨냈다. 미셸 콴이라는 롤모델이 오늘날 김연아를 있게 하는 하나의 원동력이었던 것이다.

"나만의 롤모델을 바라보면서 나아간 게 큰 힘이 됐습니다."

"미셸 콴을 처음 봤을 때 그의 연기와 사랑에 빠졌고 매일 그 연기를 보고 또 봤습니다."

김연아는 1998년 일본 나가노 동계올림픽에서 피겨스케이팅 경기를 담은 비디오를 본 후부터 미셸 콴에게 매료되었다고 한다. 그 후에 미셸 콴의 비디오를 분석하고 반드시 미셸 콴과 같은 선수가 되겠다고 다짐했다.

나중에 수많은 꿈나무들이 김연아를 보면서 피겨스케이팅을 시작했다. 김연아가 그들의 롤모델이 된 것이다. 누군가의 롤모델이 된다는 것은 최고의 영광이 아닐 수 없다.

2016년 노벨문학상 수상자 발표 결과에 많은 사람이 놀라워했다. 노벨문학상 115년 역사상 처음으로 대중음악 가수가 상을 받았기 때문이다. 바로 밥 딜런(Bob Dylan)이다. 그는 미국의 가수다. 1960년대 인권운동, 평화운동의 상징. 20세기 미국 대중음악의 대표적인 '음유 시인'이라는 평가를 받았다.

밥 딜런은 특별한 구석이 많다. 먼저 노래가 그렇다. 특히 가사가 돋보이는데 시적 영감이 느껴지는 가사는 노벨문학상을 받은 근거다.

그리고 밥 딜런과 동년배 여가수 존 바에즈(Joan Baez)와의 인연도 그렇다. 그들은 한때는 연인이었고 평생 음악적 소울메이트라는 특별함이 있다. 그리고 노벨문학상 수상까지. 나는 여기에 더해 특별함 하나를 더 발견했다.

그것은 바로 밥 딜런이 스티브 잡스의 롤모델이었다는 사실이다. 스티브 잡스는 누구인가? 'Think Different!' 애플의 창업자다. 스티브 잡스의 남다름의 가치가 밥 딜런의 남다름과 맥을 같이하고 있다는 것이 흥미롭다.

"내 롤모델 중 하나는 밥 딜런입니다. 난 그의 가사를 통해 인생을 배웠으며 그가 늘 안주하지 않는 걸 지켜봤습니다."

"언제나 그는 제 영웅입니다. 그를 흠모하는 마음은 세월이 흐르면서 더욱 깊어졌어요. 그렇게 젊은 나이에 어떻게 그런 대단한 일을 했는지 모르겠습니다."

2016년 브라질 리우 올림픽은 특히 골프에 관심이 집중되었다. 골프가 116년 만에 올림픽 종목이 되었기 때문이다. 여자골프 금메달의 주인공은 우리나라의 박인비였다. 박인비는 2016년 11월 현재 메이저 챔피언십 7회 우승을 포함하여 LPGA 대회에서 총 16번 우승했다. 여자골프 세계 랭킹 1위에 랭크되기도 했다. 아시아인으로는 최초의 여자 커리어 그랜드슬램 챔피언 골프선수다.

　세계 챔피언 박인비의 오늘을 만든 것은 무엇인가? 본인의 노력, 재능 등 여러 가지가 있을 것이다. 그중의 하나는 한국 여자골프의 전설인 박세리다. 그녀가 박인비의 롤모델이었기 때문이다. 박세리가 박인비의 가슴속에 롤모델로 자리 잡게 된 것은 1998년 US여자오픈 대회가 계기가 되었다. 그 경기에서 박세리는 물에 빠지기 일보 직전의 공을 샷하기 위해 맨발로 들어갔다. 그때 검게 탄 종아리와 대비되는 하얀 발이 많은 사람에게 깊은 인상을 남겨 주었다. 박인비 역시 그 모습을 보면서 골프클럽을 잡기 시작했다고 한다. 박인비뿐만 아니라 세계 여자골프를 주름잡는 우리나라의 많은 선수들이 박세리를 롤모델로 삼은 것은 당연하다 하겠다. 그래서 탄생한 말이 세리 키즈다.

　롤모델(Role Model)이란 자신이 가고자 하는 역할이나 마땅히 하고자 하는 본보기가 되는 대상을 말한다. 인생에서 누구를 만나느냐에 따라서 우리의 운명이 전혀 다르게 전개될 수도 있다. 롤모델이 그런 역할을 한다.

　롤모델은 역사 속의 위인부터 오늘날 TV 속의 연예인에 이르기까지 제한이 없다. 롤모델을 설정하는 것은 매우 중요하다. 롤모델은 인생의 나침반이 되기 때문이다. 롤모델을 설정하는 순간 자신도 모르게 그를 닮아가게 된다.

　평생 큰바위얼굴을 바라보며 자라서 나중에 큰바위얼굴을 닮게 되었다는 것은 비단 소설 속에서만 일어날 수 있는 일이 아니다. 앞에서 소개한 친구처럼 아무런 대가의 지불도 없이 선생님과 같은 든든한 후원자를 얻는다는 것은 현실적으로 쉽지 않다. 그 친구는 단지 선생님을 롤모델로 삼았을 뿐이다.

롤모델을 삼는다는 것은 허가를 받는 일도 아니고 돈을 내야 하는 것도 아니다. 마음속으로 그 사람을 초대하면 된다. 그러면 그 롤모델은 우리에게 올바른 인생의 방향이라는 값진 선물을 손에 쥐어준다.

한 조사에 의하면 요즈음 직장인들 대부분이 롤모델의 필요성은 인정한다. 하지만 현재 자신의 롤모델을 찾은 사람들은 많지 않다. 세 명 중 한 명에 불과하다. 본받을 대상을 찾기가 어렵다는 것이다.

당신의 경우는 어떠한가?

아직도 찾지 못하고 있다면 정신 바싹 차리고 눈을 한번 크게 떠보자. 그래도 안 보인다면 시인 고은의 〈순간의 꽃〉을 음미해 보도록 권한다.

6장. 꾸준함

'유레카'는 깔딱고개 너머에 있다

"다리를 움직이지 않고는 좁은 도랑도 건널 수 없다.
소원과 목적은 있으되 노력이 따르지 않으면
아무리 환경이 좋아도 소용이 없다.
비록 재주가 뛰어나지 못하더라도
꾸준히 노력하는 사람은 반드시 성공을 거두게 된다."

– 알랭 바디우(Alain Badiou), 철학자

사장님~ 선생님~

박경범의 『꽃잎처럼 떨어지다』의 일부 내용이다.

　"예, 사장님….."

　아무것도 마땅치 않았다. 지금 밑에 월급 주고 부리는 사람도 없는데 사장님이라는 호칭도 흔해빠진 소리에 지나지 않았다. 그렇다면 자신이 실제로 그러한 사람이 되어야 했다. 남을 자신 밑에 부려 실질적으로 대우받는 사장님이 되는 것이 그녀로서는 자신의 신분을 높이는 길이었다.

　돈만 있으면 무엇 하나. 아무리 일류 호텔 일류 음식점에서 극진한 대우를 받는다 한들 그곳으로부터 나오면 자기에게 머리를 조아리던 자들은 언제 보았느냐 하는 남남일 뿐이다. 자기를 실질적으로 이 세상에서 떠받쳐주는 그런 사람들이 있어야 비로소 이 세상이라는 시스템에서 자신은 말단의 위치가 아님을 실감할 수 있는 것이다.

　미스터 최라는 사람은 이경자가 혜영의 촬영현장에 갔을 때 때마침 비가 오자 그녀의 우산을 들어주며 갖은 호의를 베풀었기에 연락처 교환을 한 사이인 기획사 직원 최민철이었다.

"부탁이 있는데 한번 해주게나."

"예, 말씀해 주십시오, 사장님."

'사장님' 소리는 작게 들어갔다. 윗사람을 받드는 자로서는 필요하지 않을 때라도 호칭을 불러주는 것이 통례이지만 마땅한 호칭도 없으니 난감한 것은 최민철도 마찬가지였다.

"호랑이는 죽어서 가죽을 남기고 사람은 죽어서 이름을 남긴다."

우리네 삶은 어찌 보면 우리의 이름 석 자 앞에 수식되는 그 무엇 때문에 희로애락에 더 빠져드는 것인지도 모르겠다. 서울 종로에서 길을 가고 있는 사람들에게 "사장님~" 하고 외치면 남자 열에 아홉은 뒤돌아본다는 우스개 이야기도 있다. 아무리 직급 인플레가 심하다고 해도 논리적으로 살펴보면 사장이라는 직책은 흔한 호칭이 될 수 없다.

대기업 평사원이 사장이 될 확률이 얼마나 될까? 자료에 의하면 1만 명당 3.6명인 0.036%다. 그럼에도 불구하고 많은 사람이 흔하게 불리는 호칭 또한 사장이라는 사실은 시사하는 바가 크다.

어쨌든 거짓 사장이든 진짜 사장이든 간에 사장이라는 호칭을 이름 앞에 수식할 수 있는 사람은 사는 맛이 달콤할 것이다. 많

은 사람이 부러워하는 호칭이기 때문이다. 나도 동네 목욕탕에
서 수년째 '사장님'이라는 호칭으로 불리고 있다. 처음에는 어색
하고 쑥스러워했는데 만성이 되어서 지금은 그저 '사장님'처럼
자연스럽게 행동하고 있다.

군에서 제대하고 가을학기 복학을 앞두고 있었다. 등록금 걱
정으로 마음이 복잡했다. 어느 날 오후 전봇대에 붙어 있는 전
단지 하나가 눈에 들어왔다. 우유 배달할 사람을 '급하게' 구한
다는 내용이었다. 'K 우유'라고. 그 우유는 지금도 있다. '즉시'
신청했다. 대리점 주인은 군인정신이 남아 있어서 기대가 된다
며 흔쾌히 수락해 주었다. 그렇게 해서 난생 처음 우유배달을
시작했다.

배달 지역은 과거 잠실 시영아파트 단지 일대였다. 현재 잠실
나루역을 기준으로 전철이 시청 방향으로 간다고 했을 때 오른
쪽 지역이다. 왼쪽에는 장미아파트 단지가 있다. 매일 아침 5층
계단을 오르내리며 200여 가구에 배달을 했다. 그 와중에 사장
호칭과 관련한 두 가지 에피소드를 경험했다.

동선은 방이동 대리점에서 우유를 받아서 시영아파트 고객에게
배달하는 것이다. 이동하는 과정에 석촌호수가 있다. 석촌호수
부근을 지나는 시간이 통상 새벽 4시 반경인데 늘 불청객을 만난
다. 바로 그 시간까지 술을 먹고 있는 '팔자 좋은' 사람들이다.

어느 날 시비가 벌어졌다. 한 아가씨가 "우유~, 우유~." 하면서 나를 불렀다. 만취해서 혀 꼬부라지는 소리로 말이다. 배달용이기에 팔 수 없다고 했다. 그랬더니 막무가내로 그냥 하나 달라고 하는 것이다. 아가씨와 함께 있던 중년 남자도 합세했다. 무시하고 그냥 지나갔다. 누구는 이 새벽에 우유 배달하는데 새벽까지 술 먹는 모습에 억하심정이 들었기 때문이다. 잠시 후에 등 뒤로 욕 퍼붓는 소리가 들려왔다.

진짜 사단은 다음 날에 발생했다. 그 이상한 커플을 다시 만났다. 그들은 또 다시 나를 향해서 "우유~, 우유~."라고 부르며 길을 막아섰다. "우유 달라." "못 준다."를 주고받았다. 그러던 중에 그 중년 남자가 "야! 우유, 너 꽉 막힌 놈이네." 뭐 이러면서 면박을 주었다. 내가 왜 자꾸 "우유~, 우유~." 하느냐고 따져 물었다. 그랬더니 그 중년 남성이 이렇게 말을 했다.
"그럼, 너에게 사장님이라고 부르랴, 이 개새끼야."

당시 시영아파트는 한 층에 두 가구가 입주하는 구조였다. 층마다 1호, 2호만 있는 것인데 몇몇 고객이 같은 층에 있었다. 예를 들면 24동 5층에 사는 두 가구가 동시에 'K 우유' 고객인 경우다. 그런데 골치 아픈 층이 하나 있었다. 우유 배달 시간이 문제였다. 오전 7시를 기준으로 한 집은 7시 이전에 다른 한 집은 7시 이후에 배달해 달라는 것이다.
매일 7시 정시에 그 아파트 5층에 도달하기는 불가능하다. 따라서 어느 한 집은 배달 원칙을 어기게 된다. 7시 이전에 도착하면 7시 이후에 배달을 원했던 고객은 불만을 제기한다. 당연히 반대 경우도 마찬가지다.

어느 날 두 집 모두에게 배달 초인종을 눌러 주고 급히 계단을 뛰어 내려와서 다른 곳으로 이동하려는데 5층 복도 창문으로 한 여자가 얼굴을 내밀고 "우유~, 우유~." 하면서 올라오라는 것이었다. 30대 초반의 그 고객은 "왜 7시 이후에 배달해 달라고 했는데 7시 이전에 배달을 하느냐?"면서 소리를 높였다. 사정을 이야기했더니 "우유가 왜 이리 말이 많아." 하면서 짜증을 냈다. 나도 슬그머니 화가 나서 "우유~, 우유~." 하지 말고 '학생'으로 불러주면 안 되겠냐고 했다. 그 고객은 "우유 학생, 당신이 사장이야? 왜 이리 말이 많아." 그러면서 기분 나빠서 다른 회사 우유로 바꾸겠다는 최후통첩을 했다. 고객을 추가로 확보해야 하는 처지인데 기존 고객이 이탈한 것이다. 대리점 사장에게 많은 잔소리를 들어야 했다.

'사장님'이라는 호칭은 나에게 그렇게 기억되어 있다. 그 당시 "우유~, 우유~." 하는 그 말이 왜 그리도 싫었는지 모르겠다. 그래도 꾹 참았어야 했는데 말이다.

달인의 꾸준함

당신은 당신 이름 앞에 어떤 호칭을 갖고 싶은가? 사람들이 당신을 무엇이라고 불러주면 좋겠는가? 아마도 앞서 이야기한 사장님이나 선생님과 같은 무미건조한 호칭을 원하지는 않을 것이다. 그렇지 않다고? 그런 호칭을 듣는 것이 소원이라고?

좋은 호칭은 개성이 잘 반영되고 들으면 들을수록 애착이 가면서, 남과는 차별화되는 그런 호칭이다. 호칭은 또한 우리가 일상에서 주고받는 별명일 수도 있고 객관적인 이미지일 수도 있다. 제품으로 치면 브랜드 콘셉트, 슬로건, 키 카피(key copy)에 해당한다.

여기서는 편의상 '별명'이라고 정해 놓고 이야기를 하겠다. 별명은 어느 사람의 성격이나 태도 등을 한마디로 나타내는 압축된 '상징 개념'이다. 피겨여왕 김연아, 산소탱크 박지성 등. 내가 여러 별명 중에서 특히 인상 깊게 생각하는 것은 고 노무현 대통령의 별명이다. 많이 알려진 것처럼 노무현 전 대통령의 별명은 '바보'다. 굳이 어려운 길을 택하는 그의 모습을 보고 네티즌이 붙여주었다.

그는 보통사람 같으면 싫어할 '바보'라는 별명을 오히려 더 좋아했다. 인터뷰에서 "별명 중에서 제일 마음에 들었다. 정치하는 사람들이 바보 정신으로 정치를 하면 나라가 잘될 거라고 생각한다. 어쨌든 '바보' 하는 게 그냥 좋다."라고 자신의 별명에 대한 소회를 밝힌 바 있다.

나는 이름 앞에 붙는 최고의 별명은 '달인(達人)'이라고 생각한다. 달인의 사전적인 의미는 '널리 사물의 이치에 통달해 남달리 뛰어난 역량을 가진 사람'이다. 달리 말하면 달인은 각 분야에서 인정받는 '전문가 중의 전문가'다. 그래서 '국민 달인'으로 불리는 개그맨이자 방송인 김병만 씨가 부럽고 존경스럽기까지 하다. 물론 그런 남다른 호칭은 남들이 알지 못하는 피땀 어린 노력의 결실이다. 달인의 경지에 이른 사람들의 이야기를 듣다 보니 다음 세 가지 공통점을 발견할 수 있었다.

첫 번째는 꾸준함이다. 달인들은 오랫동안 같은 일을 반복한다. 짧게는 10년, 길게는 30년이다. 득도의 경지에 도달하기 위하여 반복에 반복을 거듭한다. 달인이야말로 반복의 지루함을 이겨낸 선물이다.

두 번째는 프로정신이다. 아마와 프로의 차이는 '열심히 한다.'와 '잘한다.'의 차이다. 달인들은 '어떻게 하면 더 잘 할 수 있을까.' 하는 생각을 가지고 일을 한다. 기계적인 반복도 중요하지만 더욱더 중요한 것은 효율성을 생각하면서 일하는 것이다.

달인의 세 번째 공통점은 즐거움이다. 달인은 자신이 하고 있는 일을 사랑하고 즐기면서 차이를 만들어낸다. 적당히 하는 사람은 노력하는 사람을 이길 수 없고 노력하는 사람은 타고난 사람을 이길 수 없고, 타고난 사람은 즐기는 사람을 이길 수 없다. 자신의 일을 즐기고 자신의 일에 의미와 중요성을 부여한다.

나는 이 세 가지 공통점 중에서 꾸준함의 가치를 가장 우선시하고 싶다. 말콤 글래드웰(Malcolm Gladwell)이 『아웃라이어』에서 소개하여 성공비결 중의 하나로 널리 알려진 '1만 시간의 법칙'도 곧 '꾸준함의 법칙'이다. 1만 시간은 하루에 8시간씩 노력한다고 치면 1,250일, 즉 3년 4개월에 해당하는 시간이다.

그 무엇도 꾸준함을 이길 수 없다. 꾸준함은 물 한 방울이 마침내 돌에 구멍을 뚫어낸다. 작은 노력이라도 끈기 있게 계속하면 큰일을 이루어낼 수 있다. 일에서도 사랑에서도 인생에서도 마찬가지다.

유레카

달인은 유레카를 외치는 사람이다. 유레카란 무엇인가? 무언가를 발견해서 깨달음을 얻거나 문제를 해결하는 기쁨을 경험해 본 적이 있는가? 이런 느낌을 한마디로 나타낸 단어가 바로 '유레카'다. 그리스어로 '찾았다.' 또는 '알았다.'라는 뜻이다. 잠시 어린이 과학시간으로 돌아가 보자.

기원전 3세기, 시라쿠사의 히에론(Hieron, B.C. 308~215) 왕은 자신이 선물 받은 왕관이 순금으로 만든 것인지, 아니면 속아서 은이 섞인 왕관을 받은 것인지 알아내고자 아르키메데스(Archimedes, B.C. 287~212)에게 이 문제를 해결하도록 했다.

"왕관의 모양은 그대로 둔 채, 이 왕관에 은이 섞여 있는지 확인할 수 있는 방법을 찾아보게."

아르키메데스는 당시 유명한 수학자이자 물리학자였지만, 금속을 녹여 왕관을 망가뜨리지 않고서야 무슨 도리로 그 방법을 알아낼 수 있겠는가?

어느 날 아르키메데스는 물이 가득 찬 목욕통에 목욕을 하려고 들어가자 목욕통 안의 물이 밖으로 흘러넘치는 것을 보고 벌거벗은 채로 목욕통에서 뛰쳐나오며 외쳤다.

"유레카!"

아르키메데스는 흘러넘치는 물을 보며 '부력의 원리'를 깨달았다. 흘러넘치는 물의 양은 부피와 같다. 왕관의 무게와 똑같은 금 덩어리를 준비해서 물이 가득 찬 그릇에 넣었다. 두 그릇의 흘러넘친 물의 양이 달랐다. 물론 왕관을 담은 그릇의 물이 더 많이 넘쳐흘렀다. 다른 물질이 섞여 있었기 때문이다. 같은 무게라도 밀도가 다르면 부피는 다르다. 아르키메데스는 이 원리를 이용해서 왕관이 순금이 아니고 은이 섞였다는 사실을 알아낸 것이다.

아르키메데스처럼 달인은 새로운 사실, 새로운 아이디어를 생각할 때 '유레카'의 기쁨을 가지는 사람이다. 유레카의 순간은 어디서 오는가? 또 어떻게 얻어지는가? 이 역시 가장 중요한 것은 꾸준함이다. 유레카는 갑자기 오지 않는다. 이전부터 무엇인가를 준비하고 있었기에 생겨나는 것이다.

자전거가 처음 발명됐을 때 발명가들은 속도와 안정성을 놓고 고민했다. 바퀴가 커야 속도가 빨라지는데 그만큼 안장이 높아지고 중심점이 올라가면 안정성은 떨어지는 부작용이 생겼던 것이다. 이 문제를 해결하는 데 100년 가까운 시간이 걸렸다. 체인과 기어를 발명한 것이다. 속도와 안정성이라는 두 마리 토끼를 잡을 수 있게 되면서 빠르면서도 안전한 자전거가 나왔다. 100년이라는 꾸준함의 결실이다.

프랑스 화학자이자 세균학자인 루이 파스퇴르(Louis Pasteur, 1822~1895)는 다음과 같이 말했다.
"우연(유레카의 순간)이 어떤 사람에게 일어나는지 관찰해 본 적이 있는가? 순간적인 영감은 그것을 얻으려고 오랜 시간에 걸쳐 준비하고 고심해온 사람에게만 찾아오는 법이다."

성경에서도 "뿌린 대로 거두리라."고 했다. 통찰의 순간은 찰

나의 순간 같이 아주 빠르고 짧은 시간이지만, 그 순간이 오기까지 대부분의 통찰자는 엄청나게 긴 시간을 고민하고 사색하고 또 방황한다. 오랜 고통이 녹아들어서 마침내 통찰의 순간을 맞는다. 한 송이 국화가 피어나기까지는 많은 아픔과 어려움이 있다. 마찬가지로 인고의 세월을 거쳐 인생은 원숙미를 얻는다. 꾸준함과 끈기의 힘이다.

결과는 배반하지 않는다

그는 한 권의 책을 10만 번 이상 읽었다. 그럼에도 불구하고 59세에 이르러서야 과거에 급제했다. 당시 선비들이 30세 이전까지 과거에 급제하지 못하면 과거 공부를 그만두는 것이 관례였는데 그 나이에 급제했으니 당시에는 실로 엄청난 이슈였을 것이다. 물론 오늘날에도 세간의 큰 주목을 받았을 것이다. 59세에 고시를 패스한 격이니. 그의 묘비명에는 살아있을 때 미리 작성해 둔 글귀가 적혀 있다.

"나보다 어리석고 둔한 사람도 없겠지만 결국에는 이뤄냄이 있었다. 모든 것은 힘쓰고 노력하는 데 달렸을 따름이다."

그는 사대부 명문 집안에서 태어났지만 어려서부터 아둔해서 둔재 소리를 들으면서 컸다. 다음과 같은 웃지 않을 수 없는 일화의 주인공이기도 했다.

　그는 어느 날 하인과 함께 길을 걷고 있었다. 어느 집 앞을 지나는데 글 읽는 소리가 들렸다. 그 글의 내용이 듣자니 몹시 귀에 익은 것이었다. 그가 하인에게 말했다.
　"글의 내용이 익숙한데 무엇인지 기억나지 않는구나."
　"나리, 정말로 모르시겠습니까? 이 글의 내용은 나리께서 수없이 많이 읽으셔서 저도 기억하는 내용입니다."
　그의 하인은 문 밖에서 그가 읽은 글을 들었던 것이다. 그가 10만 번 읽었다면 그 하인도 10만 번 들었을 것이다.
　그런 그였지만 그는 말년에 '당대 최고의 시인'이라는 평가를 받았다. 꾸준히 읽고 꾸준히 시를 공부했다. 어쩌면 당신도 이미 눈치챘을 것이다. 그는 조선 최고의 독서가인 김득신이다.

　달인의 경지에 이른 사람들의 경우를 보면 자신의 길을 정해 놓고 조급해하지 않고 인내와 노력을 기울인다. 그 결과는 배반하지 않는다는 사실을 확인시켜준다. 그런 삶은 하나의 감동 스토리를 만들어 내고 사람들의 관심을 끈다.
　'유레카'는 꾸준히 노력하는 사람만이 외칠 수 있는 승리의 함성이다.

ING

"건축이야말로 하나의 예술이다."

건축물은 못 하나, 나사 하나를 다루는 셀 수 없이 많은 손길, 그것도 아주 디테일한 손길 하나하나에 의해 이루어진다. 마치 청자, 백자와 같은 예술 작품을 탄생시키기 위한 장인의 그것과 다르지 않다.

땅을 고르고 기둥을 세운 지가 엊그제 같은데 마치 대나무가 자라는 것처럼 어느새 쓱 올라와 우리 앞에 서 있다.

그렇게 '빌딩(building)'은 '짓다'의 build와 '꾸준함의 가치'인 ing가 합쳐져서 하나의 건축물이라는 예술품을 완성시킨다. 매사 꾸준함의 가치인 ing가 접미 되어야만 예술작품의 수준으로 업그레이드된다.

『사랑ing』라는 책을 읽었다. 사랑에 관한 세밀한 이야기를 담고 있는 책이다. 그런데 굳이 제목에 왜 '-ing'를 붙였을까 하는 궁금증이 생겼다. 아마도 언제나 예쁘고 아름다운 사랑이 현재 진행형으로 지속되기를 바라는 마음을 반영한 것이라고 생각했다. 사실 사랑은 영원히 아름다울 수만은 없지 않은가? 이별하고 아프고 슬프고 지겹고 다시 아름답고 예쁘고 뭐 이런 것이 반복된다. 결국 꾸준한 사랑에 대한 갈망을 '-ing'를 붙여 표현한 것이다.

우리가 늘 접하는 브랜드도 예외가 아니다. 왠지 기분이 좋은 브랜드가 되려면 단지 '상표명(brand)'에 머물러 있으면 안 된다. 꾸준함의 가치인 '-ing'가 1년 365일 내내 현재진행형으로 적용되고 발휘되어야 한다. 그래서 브랜딩(branding)이고 마케팅(marketing)이다.

브랜딩이라는 것은 소비자가 원하고 기대하는 바를 꾸준히 제공하는 것이다. 소비자에 대한 꾸준함의 애정지수를 높이는 것에 다름 아니다. 소비자의 문제를 해결해 주어야 하기도 하고 소비자의 욕구를 충족시켜 주어야 한다. 소비자의 가슴속에서 브랜드의 가치를 인식하게 하고 충성도와 신뢰도를 유지하게끔 해야 한다.

서로 잘 주고받으면 평생 변치 않는 애인 같은 관계가 되는 것이고 그렇지 못하면 다시는 되돌아오지 않는 영원한 타인의 관계가 된다. 고객에게 꾸준하게 가치를 제공하는 브랜드가 시장을 바꾸고 또한 이끌어 간다.

전 세계 수많은 자동차 중에서 '가장 안전한 자동차' 하면 어떤 브랜드가 떠오르는가? 아마도 '볼보(volvo)'라고 응답하는 사람이 많을 것이다. 그렇다. 볼보는 안전한 자동차의 대명사로 불린다. 볼보는 예전부터 '안전'이라는 모토를 가지고 자동차를 개발하고 생산해 왔다. 다른 자동차들이 성능, 디자인에 투자할 때 볼보는 안전을 최고의 가치로 여기고 안전에 투자했다. 하지만 볼보의 안전을 직접 체험한 사람은 그리 많지 않다. 사람들 머릿속에 그러하리라는 인식이 생겨난 것이다. 볼보가 오랜 시간 변하지 않고 꾸준히 안전에 대한 가치를 가지고 테스트하고 또한 광고해온 결과다.

앱솔루트 보드카의 '결코 변하지 않으면서 늘 변하는(never changing, but always changing)'이라는 광고 캠페인도 같은 맥락이다. 앱솔루트의 마케팅 포인트는 간결하지만 강력하다. 병 모양을 주제로 한 비주얼과 'absolute △△△'의 구조로 이루어진 심플한 카피는 강력한 일관성을 느끼게 한다. 그 외의 표현 요소는 여러 주제로 나누어서 매번 새로운 느낌을 전달하도록 했다. 많은 어려움이 있었지만 앱솔루트 보드카 캠페인은 수십 년간 이 원칙을 꾸준히 유지했다. 그 결과 소비자의 기억 속에 앱솔루트만의 고유한 가치를 심어놓을 수 있었다.

유한킴벌리의 '우리강산 푸르게 푸르게' 슬로건 역시 30년 이상 지속되고 있다. 이러한 꾸준함은 유한킴벌리가 취업희망 기업, 일하기 좋은 기업 등의 평가에서 상위권을 유지하는 데 커다란 기여를 했을 것이다.

보령약국의 라디오 광고도 눈길을 끈다. 20여 년 동안 동일한 내용의 라디오 광고를 운영하고 있다. 보령약국이 종로5가의 랜드마크가 되지 말라는 보장도 없다.

랜드마크가 무엇인가? 다수의 사회 구성원이 동일한 이미지로 떠올릴 수 있는 대표 상징물이다. 파리의 에펠탑과 같은 것이다. 사람들이 찾게 될 것이고 기업은 좋은 마케팅 성과를 얻게 될 것이다. 꾸준함의 몫이다.

'안암골 호랑이, 신촌 독수리.' 오랜 기간 이어오고 있는 고려대와 연세대의 학교 상징이다. 특히 양교는 매년 정기전이라는 이벤트에서 이 상징을 가지고 커뮤니케이션을 한다. 양교 학생들의 이미지가 긍정적이든 혹은 부정적이든 간에 '고대생다운, 연대생다운'이라는 차별적 이미지를 유지하는 근거가 된다. 꾸준함의 결과다.

브랜드 콘셉트를 끈질기게 지속적으로 몰고 가는 것은 대단히 중요하지만 어지간한 뚝심이 아니고서는 어려운 일이다. 시장 상황이나 경쟁자의 전략 변화에 따라 바꾸고 싶은 생각을 수시로 갖게 된다. 특히 우리나라의 경우에는 더욱 그런 것 같다. 그래서 좌고우면하지 않는 꾸준함의 대가는 더욱 값진 자산으로 남게 된다.

에베레스트

뒤늦게 등산모임에 가입했다. 고등학교, 대학교를 같이 다닌 친구들이다. 내가 굳이 뒤늦게라고 표현한 것은 마지막으로 합류했기 때문이다. 사실 나는 산을 그리 좋아하지 않는다. 나의 고향은 앞으로 뒤로 좌로 우로, 모두가 산이다. 이름도 괴산 아닌가? 오랫동안 친구들의 가입 압력에도 불구하고 버틴 이유 중의 하나다. 결국 친구들의 동참 요구에 못 이겨 가입했다.

첫 산행을 했다. 걷고 또 걸어도 오르는 길만 보였다. 정상이라는 곳은 도대체 어디에 있는 것인지 야속했다. 깔딱고개가 등장했다. "숨이 깔딱깔딱 한다." 해서 붙여진 이름이다. 산행에 익숙한 친구들이 깔딱고개에 얽힌 스토리를 앞다투어 이야기했다. 나는 논산 훈련소에서 훈련병 시절 들어본 이후 처음 들었다. 정말로 너무 힘이 들었다. 다리가 풀려서 주저앉기도 여러번 했다. 우여곡절 끝에 정상에 올랐다. 그림 같은 경관이 한눈에 들어왔다. 정상의 외침은 고생한 만큼의 뿌듯함을 준다. 유레카는 깔딱고개 너머에 있다. 고개를 넘는 힘은 꾸준함이다.

영화 〈히말라야〉를 보았다. 영화를 보는 내내 '죽도록 고생했던' 첫 등산 에피소드가 생각났다. 쓴웃음밖에 나올 것이 없었다. 영화는 '휴먼 원정대'라는 실화를 바탕으로 만들어졌다. 휴먼원정대는 에베레스트에서 숨진 박무택, 백준호, 장민 대원들의 시신을 수습하기 위해 엄홍길과 대원들이 꾸린 등정팀이다. 당시 실종된 백준호, 장민 대원의 시신은 찾지 못하고 박무택 대원의 시신은 찾아 수습했다. 히말라야 정상에서의 시신 수습은 세계 등반 역사상 처음 있는 일이었다고 한다.

그들의 모습은 내 눈으로는 이해되지 않는 점이 너무 많았다. 의문점을 해소하기 위해 자료를 찾아 다시 보았다. MBC에서 휴먼원정대에 관한 다큐멘터리를 방송한 적이 있었다. 가슴 뭉클한 감동을 느꼈다. 또한 여러 가지 복잡한 감정이 함께 고개를 들었다. 인생을 잘 살아야겠다는 생각. 책임 있게 살아야겠다는 생각. 용기, 우정, 그리고 그러한 것에 대하여 나 자신의 현 위치는 어느 수준일까 하는 반성 등.

그러나 여전히 알 수 없는 것이 있었다.

휴먼원정대에 관한 이야기를 넘어서 '왜 그들은 그토록 산에 오르는가?'라는 의문이었다. 나의 짧은 생각 끝에 보이는 하나의 의미는 '숭고한 목표' 때문인 것 같았다. 그들의 목표는 무엇이었을까?

"세계 최고봉에 오른다."

"지구라는 행성에서 가장 높은 곳에 오른다."

일반인들은 그렇게 이야기할 수도 있다. 그러나 산악인들의 대답은 심플하지만 철학적이다.

"그냥 산이 좋아서요."

그들은 그것이 숭고한 목표라고 했다. 그들은 그러한 숭고한 목표를 향해서 꾸준히 오르고 또 오른다. 삶의 희로애락을 짊어지고서 말이다.

좋은 목표 설정이 되어야 꾸준함이 잉태된다. 좋은 목표는 바로 비전이다. 비전은 우리가 가야 할 곳이고 얻어야 할 열매다. 개인이나 조직이나 그러한 비전을 향해서 지금도 한 걸음 한 걸음 걸어가고 있다. 문제는 좋은 비전이냐에 대한 문제의식이다. 재미없고 귀찮고 포기하고 싶은 생각이 들면 좋은 비전이 아니다. 다른 길로 가는 변화를 선택하거나 가던 길을 재점검하여 수정해야 한다.

목표 설정과 꾸준함. 등산에서 배우고 확인한 가치다.

작심삼일

작심삼일은 단단히 먹은 마음이 사흘을 가지 못한다는 뜻으로 결심이 굳지 못함을 이르는 말이다. 꾸준함과는 정반대의 대척점에 있으며 꾸준함의 가장 무서운 적이기도 하다. 매년 새해를 맞을 때마다 이런저런 신년 다짐과 각오를 세우고 실천에 돌입한다. 하지만 많은 사람의 굳은 다짐이 여러 유혹 앞에서 쉽게 허물어지는 것을 지켜보곤 한다. 나 또한 예외일 리 없다. 이른바 작심삼일이라는 깔딱고개에서 좌절하고 만다.

캐나다 심리학자 리처드 코스트너(Richard Coestner)는 신년 다짐이 얼마나 오래 지속되는지를 조사했다. 22%는 1주일 만에 포기하고, 1개월이 지났을 때는 40%가 포기하는 것으로 나타났다. 6개월 후에는 60%, 2년이 지났을 때는 81%가 포기하고 말았다. 이는 2년 이상 동안 본인의 다짐을 지켜가는 사람이 19%에 불과하다는 말이 된다.

또 다른 심리학자 리처드 와이즈만(Richard Wiseman)은 5,000명의 실험 참여자 중에서 자신이 세운 계획을 실제로 성취하는 사람이 얼마나 되는지 추적 조사했다. 조사 결과 목표를 실제로 달성한 사람은 약 10%에 불과한 것으로 나타났다.

작심삼일을 극복할 수 있는 묘안은 없을까? 한 지인은 우스갯소리라고 전제하면서 한번 마음먹고 삼일은 할 수 있는 것이 작심삼일이니까 삼일마다 결심을 반복하면 되지 않느냐고 말했다. 작심삼일을 극복할 수 있는 많은 조언과 나의 경험을 모아서 소개한다. 이른바 작심삼일 완전정복이다. 당신의 작심삼일을 평가해 보기 바란다.

作. 작전을 제대로 짜자

어떠한 일을 완성해내기 위해서는 적절한 조치나 방법이 필요하다. 다음 세 가지 포인트에 주목해 보자.

첫째, 좋은 아웃풋 이미지(Output Image)를 만들어라.

좋은 결과를 그려보면 포기하거나 주저하기가 망설여진다. 명확한 비전, 목표가 분명하면 꾸준함의 강도는 더욱더 강해진다. 산 정상에 도달했을 때의 환희를 생각하면서 깔딱고개를 넘어서는 이치와 같다. 중고등학교 시절 어른들은 공부를 잘하면 예쁜 부인을 얻을 수 있다고 자극했다. 이것도 되돌아보면 명확한 아웃풋 이미지를 바탕으로 꾸준함을 유지하게끔 하는 고도의 심리전술이었다. 강력한 기대감이 가능성을 현실로 바꿀 수 있다.

둘째, 역산 방식의 계획을 세워라.

아웃풋 이미지를 달성하기 위해서는 구체적인 계획을 세워야 한다. 역산 방식과 순차 방식의 두 가지 방법이 있다. 그중에서 역산방식의 계획이 효과적이다.

"99%의 사람들은 현재를 보면서 미래가 어떻게 될지를 예측하고, 1%의 사람만이 미래를 내다보며 지금 어떻게 행동해야 할지 생각한다. 당연히 후자에 속하는 1%의 사람만이 성공한다."

일본의 저명한 경영 컨설턴트인 간다 마사노리(神田昌典)의 말이다.

역산 계획 방식은 데드라인을 정해 놓고 역산 방식으로 현재와 연결시켜서 지금 해야 할 일을 정하는 것이다. 원고 마감 시간을 정해 놓으면 하루 작성해야 할 원고량을 명확하게 정할 수 있다. 당연히 실행력이 높아진다. 또한 장밋빛 미래만을 생각하

지 말고 최악의 경우도 같이 생각하면서 진행해야 한다. 그래야
만 현실적인 추진력이 생긴다.

셋째, 의도적으로 소문을 내라.

당신의 다짐이나 계획을 주위에 많이 알리고 떠들고 다녀라.
가족, 친구, 동료의 도움을 받아라. 혼자 길을 가는 것보다는
함께 가는 것이 외롭지 않은 법이다. 후원자 역할도 하게 되고
채찍을 드는 사람의 역할도 하게 된다. 함께하면 실천력이 높아
진다. 주변을 의식하게 되고 의무감과 책임감이 생겨나기 때문
이다. 실천으로 얻는 순간순간의 작은 승리에 대하여 서로를 축
하해 주자. 이 또한 중요한 실천 동력이다. 내가 이 책을 쓴 힘
또한 스스로 만들어낸 소문에 대한 의무감이었다.

心. 마음 다스리기를 잘하자

건강함은 몸의 건강과 마음의 건강이 밸런스를 이루어야 한
다. 그래서 '몸도 튼튼 마음도 튼튼'이라고 한다. 몸을 건강하게
하려면 음식을 잘 먹어야 하듯이 마음을 건강하게 하려면 마음
먹기를 잘해야 한다. 불교에서 말하는 '일체유심조(一切唯心造)'
다. 세상 모든 일은 마음먹기에 달려 있다. 당신의 마음속에 진
리가 있다. 그래서 꾸준함을 유지하려면 마음을 다잡는 것을 가
장 우선시해야 한다.

노자(老子)는 "다른 사람을 정복하는 사람은 강한 자다. 자기

자신을 정복하는 사람은 위대한 자다."라고 말했다. 마음이 생각을 낳고 생각이 행동을 낳고 행동이 운명을 바꾼다고 했다.

〈가시나무〉 노래 가사에는 마음 다스리기에 대한 통찰이 담겨 있다.

내 속엔 내가 너무도 많아
당신의 쉴 곳 없네.
내 속엔 헛된 바램들로
당신의 편할 곳 없네.

이 노랫말에 가슴 저몄던 기억이 새롭다. 사람의 마음속에는 저마다 '마음속 아이'가 숨어 있다고 한다. 우리 각자의 마음속에는 어떤 아이가 숨어 있을까? 사람의 마음을 읽을 수 있다면 얼마나 좋겠는가? '셀프 독심술' 혹은 '셀프 관심법'이라도 익혀야겠다.

다음 마음의 종류를 음미해 보고 당신의 꾸준함을 다져보기 바란다.

향기로운 마음

남을 위한 기도다. 벌에게 나비에게 바람에게 달콤한 꿀을 내주는 꽃처럼 소중함과 아름다움을 베푸는 마음이다.

여유로운 마음

풍요로움의 선물이다. 바람과 구름이 평화롭게 머물도록 넉넉한 공간을 비워놓는 하늘 같은 마음이다.

사랑하는 마음

존재에 대한 자기와의 약속이다. 믿음의 날실에다 이해라는 구슬을 꿰어놓은 염주처럼 관심 속에 바라봐주는 마음이다.

정성된 마음

자기를 아끼지 않는 헌신이다. 뜨거움을 참아내며 은은한 향과 맛을 건네주는 녹차와 같은 마음이다.

참는 마음

나를 바라보는 선(禪)이다. 절제를 통하여 부드럽게 마음을 비우는 대나무 같은 마음이다.

노력하는 마음

목표를 향한 끊임없는 투지다. 세상의 유혹을 떨치고 공부하는 수도승처럼 꾸준하게 한길을 걷는 집념이다.

강직한 마음

자기를 지키는 용기다. 깊게 뿌리내려 흔들림 없이 사시사철 푸르른 소나무처럼 변함없이 한결같은 마음이다.

아무리 마음을 다잡아도 우리를 유혹하는 자극은 도처에 넘쳐난다. 당신과 나의 아주 사소한 개인적인 영역에서부터 공룡과도 같은 대중매체의 영역에 이르기까지. 우리는 그 자극에 허무하게 무너져 버리기를 반복한다. 원수 같은 술친구, 먹방, 쿡방에서 쏟아지는 맛난 음식, 재미있는 TV 드라마, 자극적인 영화, 중독성 강한 게임, 오락 등.

이럴 때일수록 '마시멜로 실험'을 되새겨 보자. 마시멜로 실험은 어린 시절 형성된 절제와 참을성이 지능보다 인생에 더 큰 영향을 미친다는 것을 보여주는 심리학 실험이다. 실험은 어린 아이에게 마시멜로 1개를 주고 15분 동안 먹지 않고 참으면 2개를 주기로 했을 때 안 먹고 참아서 2개를 받은 아이들이 커서 더 훌륭하게 되었다는 내용이다. 어쩌겠는가? 우리가 살아가는 과정은 그 자체가 수많은 마시멜로 실험의 연속인 것을. 꾸준함은 마시멜로 유혹을 극복하면서 유지되는 것이다.

"기다릴 수 있는 힘, 인내력, 자기 통제력과 같은 능력을 가진 사람의 삶은 잘 풀릴 것이다. 상대적으로 그렇지 않은 사람의 인생은 꼬이게 될 수 있다."

三. 삼의 법칙을 활용하자

일반적으로 '7'을 행운의 숫자라고 이야기한다. 하지만 내게는 경험상 '3'의 법칙이 주는 의미가 더욱 특별하게 다가온다. 세 사람이 모이면 상황을 바꾸는 힘이 생긴다는 '3의 법칙'도 있어 더욱 그렇다. 술자리도 두 명이 가면 어색하다. 하지만 세 명이면 안정적이고 대화도 잘되고 분위기도 좋다. 이처럼 숫자 '3'은 묘한 힘이 있다. 작심삼일을 극복하는 방안 세 번째는 바로 숫자 '3'이 주는 의미를 자신이 세운 결심을 공고히 하고 실행력을 강화시키는 데 이용하자는 것이다.

〈'3의 법칙' 상황 1〉

길을 건너던 한 사람이 하늘을 올려보며 손으로 가리킨다. 지나가던 그 누구도 하늘을 쳐다보지 않았다. 두 사람이 하늘을 바라보며 가리킨다. 그 누구도 두 사람이 가리키는 곳을 보지 않았다. 세 사람이 고개를 들고 손으로 하늘을 가리킨다. 놀랍게도 지나가던 사람들이 발을 멈추고 아무것도 없는 하늘을 일제히 서서 바라보았다.

〈'3의 법칙' 상황 2〉

전철을 타던 한 노인이 전동차의 틈새에 몸이 끼는 사고가 발생했다. 한 사람이 큰 소리로 "우리 함께 밀어 봅시다."라고 외쳤다. 하지만 그 누구도 움직이지 않았다. 그 순간 "제가 도울게요."라며 또 한 사람이 외쳤다. 조용한 가운데 "저도 같이 도울게요." 또 한 사람이 가세하여 세 명의 사람이 밀기 시작한 전동차. 침묵하던 많은 사람이 함께 전동차를 밀기 시작했다.

실행 계획을 수립하는 데 있어서 여러 가지보다는 핵심적인 것 3개만 정하거나 공동으로 해야 할 때면 3명 이상에서 시작해야 실패할 확률이 낮아진다고 한다. 소규모의 부정적인 행동이 집단 내로 전파되는 것 또한 3명 이상의 소규모 집단에서부터라고 한다. 대부분의 조직에서는 실행 계획을 3개월마다 점검하고 평가한다. 통상 3개월이면 성공 혹은 실패의 윤곽이 드러나기 때문이다. 글을 쓸 때나 이야기를 할 때 세 가지의 근거나 사례를 제시하면 최고의 설득력이 생긴다고 한다. 누구는 하루 세 가지의 축복일기를 쓴다고 한다. 금, 은, 동. 하나, 둘, 셋. 그래서 그런지 학원이나 다이어트 프로그램에는 초기 3개월을 특히 강조하는데 거기에는 나름대로 이유가 있다. 바로 3의 법칙이다. 당신도 '3의 법칙'을 활용하여 강력한 동기부여를 확보하기 바란다.

日. 하루 경영을 잘하자

1년 365일은 365개 하루하루의 합이다. 쉽게 생각해 보면 하루를 계획적으로 실천하는 것이 작심삼일의 극복은 물론이고 1년을 알차게 보내는 것에 다름 아니다. 성공적인 삶이냐? 아니냐?의 결과도 결국은 '하루하루'를 어떻게 보내느냐의 차이일 것이다.

세계적인 발레리나 강수진, 45년 발레리나로서의 삶을 고백한 그녀의 책 『나는 내일을 기다리지 않는다』에서 그녀는 다음과 같이 말하고 있다.

"실제 내가 생각하는 나의 가장 큰 업적, 그리고 가장 듣고 싶은 나에 대한 큰 찬사는 '강수진은 보잘것없어 보이는 하루하루를 반복하여 대단한 하루를 만들어낸 사람이라는 것이다. 지금

내가 가진 모든 업적, 성공담, 주변의 찬사와 발레 무대에서의 지위는 모두 그러한 반복의 위대한 산물이다."

다음은 인기 강사 김미경이 '하루 경영'에 관한 특강에서 이야기한 내용이다.

"내 가치를 높이려면 하루를 바꿔야 한다. …최고의 포옹은 시간과 나와의 포옹이다. 시간을 안아주면 내 것이 된다. 시간을 내 것으로 완전하게 포옹해야 한다. 그러면 부가가치가 급상승할 것이다."

성공을 체험하는 사람들은 하루를 매우 아까워한다. 그들은 세상에서 가장 아까운 것이 시간이라고 생각한다. 그러한 생각이 들면 그 이전과 이후의 하루는 달라진다. 결국 하루의 시간 관리가 관건이다. 어떻게 관리해야 할까? 변화경영 전문가 구본형은 『오늘 눈부신 하루를 위하여』에서 다음과 같이 통렬한 솔루션을 제시해 주었다.

쓸데없는 약속은 버려라.
나는 무던한 사람이라 잘 거절하지 못한다.
그런데 살아보니 모질어져서 제법 잘 거절하게 되었다.
거절하니 내가 좋아하는 것을 하며
내가 좋아하는 사람들과 더 오래 지낼 수 있게 되었다.
이제 부드럽게 거절하는 법을 배우려고 한다.
더 많이 몰입하고 심취해서

번잡함에서 스스로 멀어지도록 경계하려 한다.
오늘 도연명을 다시 읽었다. 잘 읽혔다.

작심삼일을 극복하는 방법을 다시 요약해보면 다음과 같다.
作: 작전을 종합적으로 잘 세워라.
心: 마음먹기에 달려 있다.
三: '3의 법칙'을 활용하라.
日: 365일 하루하루의 경영을 잘하라.

작사도방삼년불성(作舍道傍三年不成)
길가에 집을 지으려고 하는데 오가는 사람들에게 상의한 결과, 사람마다 의견이 달라서 삼 년이 지나도록 짓지 못했다는 뜻이다. 어떤 일에 이견이 분분해 결론을 내리지 못함을 이르는 말이다. 남의 의견에 귀 기울이고 의견을 수렴하는 것은 매우 중요하다. 그러나 자신의 주관은 확실하게 가지고 있어야 한다. 뚜렷한 자기 생각 없이 남의 의견만 따르다 보면 이루어지는 것이 없기 때문이다.

꾸준함도 마찬가지다.
자기 주관에 의해 당신의 길을 찾을 때 꾸준히 나아갈 수 있다. 꾸준함의 가치는 당신의 신념에 있다. 주변 사람들의 말에 좌지우지되지 말아야 한다. 당신만의 꾸준함이라는 멋진 집 하나 지어 보라.

7장. 주도

술(酒)로 인한 추락은 날개가 없다

"더 이상 술잔에 손대지 말라.
가슴 속속들이 병들게 한다.
술의 향기는 저승사자의 입김이요,
술잔 속에 나타나는 빛은 저승사자의 흉한 눈초리다.
조심하라, 질병과 슬픔과 근심은
모두 술잔 속에 있나니."

– 롱펠로우(Henry Wadsworth Longfellow,
　1807~1882). 시인.

술 심부름

어린 시절을 추억해 보면 아버지는 못하는 것이 없는 만능해결사였던 것 같다. 아버지는 집에서 필요한 것들의 상당수를 직접 만들어 충당했다. 술에 관한 나의 기억은 일하는 아버지의 모습과 맞물려서 형상화되고 있다. 아버지는 준 목수였다. 실제로 우리 집에는 못과 망치가 들어 있는 목수용 연장통이 있었다. 시골 가정집 대부분이 그랬던 것처럼 우리 집에서도 소, 개, 돼지, 닭 등 다양한 종류의 가축을 키웠다. 아버지는 가축 사육을 손수 고치거나 새로 만들었다. 이렇게 아버지가 '목수'로서 맹활약하는 그날은 마치 김치 담그는 날처럼 온 집안 식구가 동원되는 큰 행사였다. 아버지는 작업 중간 중간에 그리고 일을 다 끝내고 막걸리를 마셨다. 나와 우리 형제들은 순서를 바꾸어가면서 막걸리 심부름을 해야 했다.

아버지는 또한 소규모 밭농사를 짓는 준 농부이기도 했다. 농사는 짓는 규모가 크면 큰 대로 작으면 작은 대로 고달픈 일이다. 그런데 그 고달픔 가운데 힘들었던 기억은 밭에다 인분을 뿌리는 일이었다. 인분이야말로 땅에 영양분을 공급하는 가장 좋은 비료로 평가받던 시절이다. 당연히 그날은 꽉 차버린 뒷간을 비우는, 재래식 화장실을 청소하는 날이기도 했다. 그날도 역시 집안의 큰 행사가 아닐 수 없고 아버지는 막걸리를 잡수셨다. 형제는 막걸리 술 심부름을 해야 했다.

매주 수요일에는 학교에서 체육의 날 행사가 있었다. 주로 선생님들끼리 배구시합을 했다. 가끔은 이웃학교 선생님들과 학교 대항전을 치르기도 했다. 체육 행사가 끝나면 어김없이 등장하는 것이 막걸리였다. 나는 학교 사택에 살았기 때문에 체육 행사를 구경할 수 있었다. 그러다 보니 학교 소사 아저씨와 함께 여러 심부름을 했다. 여기에 막걸리 심부름이 빠질 수 없었다. 행사 후 선생님들이 막걸리 한잔하면서 그날의 회포를 푸는 모습을 부러워했다. 나도 빨리 어른이 되어서 술 한번 실컷 먹어 보면 좋겠다는 상상을 하기도 했다.

시골에서 자란 사람들은 나와 비슷한 경험을 했을 것이다. 이러한 술 심부름은 처음으로 술을 먹게 되고 처음으로 필름이 끊기는 황당한 경험을 하는 계기가 되었다. 호기심에 주전자 주둥이에 입을 대고 한 모금 두 모금 먹는다. 그럴수록 '어른들은 이런 걸 왜 마시지?' 하는 생각이 들면서도 주전자 주둥이에 또 입을 갔다 대곤 했다. 어떻게 집에 왔는지 알 수 없다. 다시는 그 어린 취객에게 술 심부름 차례는 돌아오지 않았다.

보고 싶은 친구 H

고대 그리스 철학자 아리스토텔레스(Aristoteles, B.C. 384~322)는 "친구는 두 개의 몸에 깃든 하나의 영혼이다."라고 말했다. 성경에는 "사람이 친구를 위해서 자기 목숨을 버리면 이보다 더 큰 사랑이 없나니."라고 밝히고 있다.

그런가 하면 우리에게 아주 익숙한 말도 많다. 어릴 때부터 같이 놀며 자란 벗인 죽마고우, 생사를 같이 할 수 있다는 문경지교, 관중과 포숙의 사귐처럼 아주 돈독한 관계라는 관포지교.

어디 그뿐인가? 친구 따라 강남 간다. 유쾌한 길벗은 마차처럼 좋다. 벗은 기쁨을 두 배로 하고 슬픔을 반으로 나눈다. 이 이외에도 친구를 소재로 한 동서고금의 속담, 격언들은 부지기수로 많다.

그러면 친구는 다 좋은 친구일까? 좋은 친구의 기준은 무엇일까? 나는 어떤 친구가 좋은 친구냐는 말 가운데에서 『논어』의 〈계씨 편〉에서 공자가 말한 내용을 첫 손가락으로 꼽는다. "벗에는 유익한 세 벗이 있고, 해가 되는 세 벗이 있다. 정직한 사람, 신의가 있는 사람, 견문이 많은 사람은 유익하다. 겉치레만 하는 허식적인 사람, 아첨 잘하는 사람, 말을 잘 둘러대는 사람은 해가 된다."

나에게는 유익한 세 벗의 모습을 모두 지닌 친구가 있었다. 그와 나는 같은 고등학교를 다녔고 같은 대학교를 다녔다. 겁은 불교의 시간 단위인데, 일 겁은 일천 년에 한 방울씩 떨어지는 물방울로 집채만 한 바위를 뚫어내는 시간이며, 일백 년에 한 번씩 내려와 스쳐가는 선녀의 치맛자락으로 그 바위가 닳아 없어지는 시간이라고 한다. 그 친구와 같은 고등학교, 같은 대학을 다닌 인연도 몇 겁의 인연은 될 것이다.

그와 나는 야구를 좋아했다. 아니 야구박사라고 표현하는 것이 더 정확할 듯하다. 야구 역사 및 상식에서부터 선수들의 타율, 승수, 신상까지 줄줄이 꿰고 다녔다. 대학야구 대회를 죽어라 찾아다녔다. 평일 게임에는 몇 명 안 되는 극성 팬들을 제외하고는 관중석이 텅 빌 때가 많았다. 그와 나는 그때도 그 극성 팬들에 속해 있었다.

그와 나는 술을 좋아했다. 특히 소주와 막걸리를 좋아했다. 술 안주는 서비스로 주는 짬뽕 국물과 단무지거나 사정이 좋으면 오뎅탕 정도였다. 그 안주를 놓고 무슨 하고픈 이야기가 그리도 많았는지 새벽이 돼서야 자취방으로 들어가곤 했다. 특히 막걸리는 주로 캠퍼스 안에서 먹었다. 잔디밭에 앉아 불그스름한 얼굴에 혀 꼬부라지는 말로 서로의 꿈을 이야기하고 시대의 아픔을 곱씹곤 했다.

그는 가슴 아픈 사연의 주인공이기도 했다. 그는 어느 날 창졸간에 나의 곁을 떠나 버렸다. 나는 학교 도서관에서 아르바이트를 하고 있었다. 오후 3시경이 되었나 보다. 내 귀를 의심하지 않을 수 없는 충격적인 이야기를 들어야 했다. "오늘 새벽에 그가 죽었다."는 것이었다. 도저히 믿을 수 없었다. 바로 전날 우리는 고교 동문회 모임을 함께 했다. 그날은 공교롭게도 그가 사법고시 최종 불합격 소식을 받은 날이었다. 그는 술로 쓰린 마음을 달랬고 과음으로 이어졌다. 만취한 그가 걱정이 되어서 그의 자취방으로 데려다 주었다. 그런데 이런 일이 벌어지다니 도저히 이해할 수 없었다.

화장한 유골을 북한강에 뿌려주면서 친구와 영원한 작별을 했다. 그때 그 기억이 가슴 아픈 추억으로 선명하게 남아 있다. 두고두고 미안한 생각뿐이다. 가끔 야구장에 갈 때면 흰 테 안경 속에서 반짝이던 친구의 두 눈이 그리워진다.

그 친구는 시도 좋아했다. 특히 도종환 시인의 〈접시꽃 당신〉을 좋아했다. 두 가지 이유가 있었다. 하나는 순애보적인 시, 그 자체를 좋아했다. 그 친구는 그 당시 사랑하는 사람이 있었다. 결국에는 가슴 아픈 이별을 해야 했던 바로 그 사람이다. 또 하나의 이유는 공감대다. 청원군 낭성면 귀래리 같은 지명은 그 지역 출신인 우리에게는 익숙한 이름이다. 정서적으로 잘 맞았다. 세월이 많이 흘렀다. 도종환 시인의 또 다른 시 〈벗 하나 있었으면〉에서 그 친구를 만날 수 있다는 것이 경이롭다.

블랙아웃 현상

다음은 영화 〈블랙아웃〉의 일부 줄거리다.

살인사건이 발생한 시각, 자신의 집에서 술을 마시고 있던 제시카는 그 순간의 기억이 없다. 결국 4번째 희생자가 시체로 발견되며 자신의 알리바이를 전혀 댈 수 없는 제시카가 유력 용의자로 지목된다. 정체를 알 수 없는 범인을 향한 추적. 과연 이 연쇄살인 사건의 진짜 범인은 누구이며, 그 속에 숨겨진 진실은 무엇인가.

"아~, 도통 기억나지 않아."
간밤의 술자리가 꽤나 길었나 보다. 언제 헤어졌는지 어떻게 집에 왔는지 알 수가 없다. 술을 즐기는 우리나라 성인 중 세 명 가운데 한 명이 위와 같은 경험을 한다고 한다. 흔히 "필름이 끊겼다."라고 말하는데 이를 의학적으로는 '알코올성 블랙아웃(alcoholic black out)' 현상, 즉 알코올로 인한 단기 기억상실이라고 부른다.

술을 마시면 뇌의 시스템에 문제가 생겨서 뇌의 작용이 둔해지게 마련이다. 판단 및 대처 능력이 둔해지고 거리감과 속도감도 저하된다. 정신작용도 평소와 확연하게 달라진다. 용감해지고 도덕적 판단능력이 흐려지며 충동조절 능력도 떨어진다. 한마디로 제정신이 아니게 되는 것이다. 술이 과해지면, 즉 술독에 빠지게 되면 블랙아웃 현상이 자연스럽게 발생한다.

대부분의 사람들이 '필름 끊김 현상'을 경험해도 술이 깨면 기억력을 회복하기 때문에 대수롭지 않게 넘긴다고 한다. 그러나 블랙아웃의 위험성은 실로 치명적이다. 전문가들은 필름 끊김 현상이 반복되면 뇌가 심각한 손상을 입는다고 경고하고 있다. 우울증 등 정신적 피해가 발생하고 최악의 상황은 치매로 이어질 수 있다는 사실이다. 심지어 블랙아웃은 '알코올성 치매로 가는 지름길'이라는 표현도 하고 있다.

타인에게 행해지는 막무가내 폐해 또한 심각하다. 블랙아웃은 폭력, 음주운전, 절도, 심지어 살인과 같은 강력 범죄로 쉽게 이어질 수 있다. 마약에 취한 상태와 유사하며 몽유병 환자와도 같다. 아마도 CCTV나 블랙박스에 담긴 당신의 블랙아웃 모습을 본다면 경악을 금하지 못할 것이다. 잠시 죽은 것이나 다름없기 때문이다.

대오각성하는 자세와 정신력을 가지고 블랙아웃을 극복해야 하겠다. 특별한 방법은 존재하지 않는다. 술 마시는 양과 횟수를 줄이는 수밖에 없다. 아니 블랙아웃 현상이 반복되고 일상적이라면 반드시 술을 끊어야 한다. 올바른 음주 습관을 가지는 것의 중요함은 이 역시 아무리 강조해도 지나침이 없다. 현재 당신의 음주 습관은 백 점 만점에 몇 점인가? 당신의 몸 상태에 맞게 음주의 빈도와 양을 조절하는 지혜가 절실히 필요하다.

지랄 총량의 법칙

"하던 지랄도 멍석 펴놓으면 안 한다."는 속담이 있다. 지랄이 뭔가? 사전에는 '마구 법석을 떨며 분별없이 하는 행동을 속되게 이르는 말'이라고 정의되어 있다. 오랜 단골 음식점 사장으로부터 어느 날 "지랄을 떤다."고 면박을 받았다. 호형호제하는 사이인데 나의 행동이 예전 같지가 않다는 것이다. 다름 아닌 반복되는 술 실수에 대한 꾸지람 반 걱정 반의 표현이었다.

'지랄 총량의 법칙'이란 말을 경북대 김두식 교수의 책『불편해도 괜찮아』에서 처음 보았다. 사람에게는 누구나 평생 떨어야 할 지랄이 있는데, 어린 시절에 사고 치는 아이는 이미 평생 지랄을 어려서 떨었기에 어른이 되면 정신을 차리고, 얌전하던 사람이 갑자기 나이 들어 사고 치는 경우는 죽기 전에 지랄을 떨고 가야 하니까 그렇다는 것이다. '나의 지랄이 내게 주어진 지랄 총량을 채우려고 나타나는 것인가.' 하는 생각을 하게 되었다. 이 법칙은 그 기간을 어떻게 설정하느냐에 따라서 위안을 주기도 하고 걱정을 주기도 한다.

만일 평생의 지랄이 지금 나타난다면 걱정이다. 늦바람 지랄이 날 수도 있기 때문이다. 나는 어린 시절 대단한 모범생이었기에 지랄이 나타나지 않았다. 어른이 되면서 급변하는 일부 친구들이 있다. 그것을 보면 이 법칙이 단지 우스개 이론으로 웃어넘길 것만은 아닌 것으로 보인다.

친구 치호는 초등학교 시절 성질이 까다롭고 고약했다. 한마디로 지랄 같았다. 여학생들이 고무줄놀이를 하면 훼방 놓기를 일삼았다. 책상 한가운데에 금을 그어 놓고 짝꿍 여학생을 괴롭히고 울렸다. 왜 금을 넘어오느냐는 말도 되지 않는 이유를 들이대면서 말이다. 남자 친구들과의 관계도 크게 다르지 않았다. 욕과 싸움을 잘하고 독불장군 같은 행동을 많이 했다. 개구쟁이라는 표현은 문학적이고 유순한 표현일 뿐이다.

총동창회 준비 관계로 30여 년 만에 친구 치호를 만났다. 옛날의 모습과는 180도 달라진 의젓한 모습에 놀라지 않을 수 없었다. 치호는 성실의 대명사로 불리고 있었다. 동네의 대소사에 내 일처럼 발 벗고 나서서 도움을 주는 고마운 해결사이기도 했다. 어려서 지랄을 다 떨었기 때문이다.

오르막이 있으면 내리막이 있다. 일찍이 사업에 성공해서 거들먹거리다가 예기치 않게 거리로 나앉는 사람도 있고 고생고생 하다가 뒤늦게 역전드라마를 쓰는 사람도 있다. 총량의 법칙을 어떻게 응용하고 해석하느냐에 따라서 혜안을 얻을 수 있다. 당신의 삶에 적극 대입하고 패러디해보면 좋겠다. 시쳇말로 잘나간다고 해서 거만하면 안 되고, 또한 아프고 시련이 있다고 해서 의기소침할 필요가 없다. 결국 지랄 총량의 법칙이 시사하는 것은 인생은 플러스와 마이너스를 합하여 제로라는 통찰이 아닌가 한다. 지랄 총량의 법칙은 음주 총량의 법칙으로 가장 잘 설명되는 것 같다.

여기 두 사람이 있다. 둘은 절친한 친구 사이다. 그만큼 닮은 점도 많다. 그러나 술에 관해서는 정반대의 스토리를 가지고 있다.

때는 두 친구의 대학시절이다.
A의 이야기다. 그는 대학시절부터 항간에 떠도는 애주가의 3불 원칙을 존중했다. 주종불문, 안주불문, 멤버불문이 그것이다. 소주, 막걸리, 맥주, 양주, 서양 술, 동양 술, 전통주, 현대주 등 없어서 못 먹었을 뿐이다. 주머니 사정 때문에 막걸리를 주로 마셨다. 가끔 선배들이 학교에 찾아오기라도 하면 이게 웬 떡이냐 하면서 1만 cc 이상의 맥주를 마셔댔다. 그가 술 마시는 이유는 참으로 다양했다. 비가 온다, 눈이 온다, 꽃이 핀다, 꽃이 진다, 바람이 분다, 바람이 불지 않는다, 봄이다, 가을이다, 여름이다, 겨울이다, 미팅한다, 미팅 잘 못했다, 사랑 때문에 아프다, 시험을 잘 보았다, 못 보았다, 학점이 잘 나왔다, 못 나왔다, 군대 간다, 제대한다, 등등.

A는 분위기 메이커였다. 많은 친구가 그를 찾았다. 인기가 있다고 착각했던 그는 부르면 언제든지 달려가고 달려왔다. 무조

건 무조건이었다. 친구는 술과 연관된 것이라면 유독 정의감에
불타올랐다. 중도에 슬쩍 사라지는 행동은 상상할 수 없는 일이
었다. 술좌석이 끝날 때까지 자리를 지키고 뒷정리까지 했다.

A는 술에 관해 많은 에피소드를 가지고 있다. A의 생일을 축
하하는 이벤트가 있었다. 생일 축하 이벤트라고 해야 고작 초코
파이에 성냥불을 꽂고 축하 노래를 부르는 것이 전부였다. 한
친구가 예상 밖의 선물을 가져 왔다. 두꺼운 영어사전이었다.
대학생이라면 영어사전 하나 정도는 누구나 다 가지고 있는데
그 친구는 왜 영어사전을 A의 생일 선물로 준비했을까. 그 친구
가 적은 A의 선물 메시지는 이런 내용이었다.

"친구 A야~, 너는 친구들 술 사줄 돈은 있는데 너의 영어사전
살 돈은 없는가 보다. 네 영어사전이 찢어진 치마처럼 너무 낡
았더구나. 내가 더 이상 볼 수가 없었다. 앞으로는 친구들보다
는 네 자신을 먼저 챙기면 좋겠다."

A는 이러한 친구의 선물과 편지를 받고도 정신 못 차리고 술
과 어울리다가 졸업했다. 이른바 주류(酒類) 활동을 계속했던
것이다.

다음은 친구 B의 이야기다. 친구 B는 A와 달라도 너무 달랐다.
B는 생맥주 500cc 한 잔에도 힘겨워 했다. 소주 한두 잔만 마

셔도 얼굴이 빨개지고 이마에 식은땀 같은 것이 송골송골 맺히곤 했다. 실실 거리고 웃는 모습은 혼자 보기에 아까웠다. 소량의 술만 먹어도 지나치다 싶을 정도로 말이 많아졌다. 친구들은 그의 재미없는 이야기를 참고 들어야만 했다.

그를 본 사람들은 언제나 그 친구 혼자서 온 세상의 술을 모두 다 마셨다고 생각했다.

B가 어느 토요일에 낮술을 했다. 많이 한 것도 아니다. 생맥주 한잔을 했을 뿐이었다. 술좌석이 끝나자 "온 세상이 빙빙 돈다."고 하소연을 했다. 급기야 B가 아스팔트 도로 위에 누워버리는 불상사가 발생했다. B는 누워서도 계속해서 말을 했다. 온 세상이 계속해서 빙빙 돈다고 말이다. 취객 B를 하숙집으로 데려다 주기까지는 많은 친구의 도움과 오랜 시간이 필요했다.

대학을 졸업하고 세월이 많이 흘렀다.
A, B 두 친구의 양상이 뒤바뀌었다. 예전에 술을 잘 못하던 친구 B는 이제야 술맛을 알겠다며 애주가로 변신해 있다. 반면에 영원한 주류(酒類)일 것 같았던 친구 A는 술자리 제의가 오면 한약을 먹는다는 둥 이런저런 핑계를 대면서 피하곤 한다.

아마 당신 주위에서도 이와 같은 사례는 얼마든지 찾아볼 수 있을 것이다. 이름하여 '음주 총량 균등의 법칙'이다. 술을 마시는 것도 처음에는 차이가 나도 나중에는 그 총합이 비슷하다는 것이다. 속도의 개인차가 있을 뿐이다. 주류가 비주류로 바뀌고, 비주류가 주류로 변한다. 그 누구도 술 앞에서 자만해서는 안 된다. 더욱 겸허해야 한다.

고해성사

정민의 『다산 어록 청상』의 일부 내용이다.

사람에게는 형기(形氣)란 것이 있다. 비록 뛰어난 지혜의 소유자도 능히 허물이 없을 수는 없다. 성인(聖人)이 되느냐 광인(狂人)이 되느냐는 뉘우침에 달려 있다. 때문에 이윤(伊尹)은 "다만 광인이라도 능히 생각하면 성인이 될 수 있고, 성인이라도 생각하지 않으면 광인이 된다."고 말했다. 생각한다는 것은 뉘우침을 말하는 것이다.

고해성사 하는 마음으로 불편한 진실 하나를 고백한다.

대단히 중요한 프로젝트 하나를 마쳤다. 한 해 업무의 고속도로를 뚫었다고 할 만큼 의미 있고 유쾌한 프로젝트였다. 화창한 봄날 같은 회식이 이어졌다. 그러나 그 봄은 오래 가지 못했다. 회식이 끝난 몇 시간 후에 갑자기 추운 겨울이 찾아왔다. 음주운전 단속에 적발되어 운전면허 취소를 당한 것이다. 파렴치한 인간으로 전락하는 데는 오랜 시간이 걸리지 않았다. 음주운전 사실이 알려지면서 집에서, 회사에서, 그리고 지인들로부터 수모와 비난에 시달려야 했다. 특히 아내의 극에 달한 실망감을 접한 나는 고개를 떨구어야 했다. 지워지지 않는 문신을 스스로 이마에 새겨 넣은 꼴이었다. 당시 아내는 둘째 아이 만삭 때였다. 첫 아이를 출산할 때 큰 동서의 차를 빌려서 퇴원했는데 아내가 서운했던 모양이다. 둘째 아이가 생기면 그 때는 우리 차로 퇴원하자고 다짐한 바가 있었다. 열심히 저금하고 아껴서 자가용을 장만했는데 면허 취소를 당한 것이다. 결국 둘째 아이는 택시를 이용해서 병원을 나서야만 했다.

"추락하는 것은 날개가 있다."고 했다. 오스트리아 시인 잉게보르크 바흐만(Ingeborg Bachmann, 1926~1973)의 시구인데 날개가 있으니 희망을 갖자는 의미다. 우리나라에서는 이문열의 소설 제목으로 널리 알려지게 되었다. "날개가 있다가 맞다.""아니다, 날개가 없다가 맞다."라는 때 아닌 갑론을박 논쟁이 벌어졌다. 나는 "추락하는 것은 날개가 없다."가 옳다고 생각한다.

평생을 공들여 쌓은 것이 한순간의 잘못으로 인해서 산산조각이 날 수 있다. 음주운전이 대표적인 사례다. 음주운전은 살인이다. 대형 교통사고의 대부분이 음주운전에 그 원인이 있다.

신호 위반, 중앙선 침범, 뺑소니, 추돌 충돌사고, 대인사고 등 상상만 해도 끔찍하다. 나의 음주운전 사건을 생각할 때마다 동네의 성당에서 자주 내거는 현수막 문구가 눈에 어른거린다.

"예비자를 진심으로 환영합니다."

당신의 경우는 어떠한가?

빙어 튀김

당신의 겨울 추억에는 무엇이 있는가? 흰 눈? 스키? 겨울 바다? 호빵? 사람들마다 다양한 색깔의 추억을 가지고 있을 것이다. 나는 약간 생뚱맞을지는 몰라도 빙어(氷魚)가 대표적인 겨울 추억이다.

빙어는 얼음 속에 산다고 하여 붙여진 이름이며 공어, 은어, 방어, 뱅어, 병어라고도 불린다. 맑고 깨끗한 물에서 산란하는 은빛의 투명한 어류인데 우리나라에 보급된 역사는 짧지만 빙어 축제에 힘입어서 그 가치가 새롭게 부각되고 있다.

빙어는 맛도 좋지만 빙어 낚시의 맛은 더욱더 중독성이 있다. 나의 고향에서는 빙어 낚시가 인기 있는 겨울 이벤트였다. 내가 추억을 만끽했던 장소는 충북 괴산의 문광 저수지다. 지금은 사진 찍는 곳으로 더 유명해졌다. 고향 동네라서 대수롭지 않게 생각했는데 언론(리빙앤조이, 2014.10)에서는 멋지게 그곳의 가을 풍경을 소개하고 있다.

"새벽이면 출사지로 그 자태를 뽐내면서 많은 사람의 시선을 고정시키고 셔터를 쉬지 않고 누르게 한다. 은행나무와 새벽 몽환적인 분위기가 압권이다. 낮이면 가족들과 연인들의 데이트 장소로 눈과 마음속에 가을 햇살의 따뜻함을 불어넣는다."

설 연휴 때 온 가족이 저수지로 빙어낚시를 하러 갔다. 해본 사람들은 잘 알겠지만 빙어낚시는 남녀노소 누구나 손쉽게 할 수 있다. 그리고 정말 재미있다. 그날은 함박눈이 펄펄 내려 저수지는 물론 온 대지를 하얗게 뒤덮었다. 분위기를 탔기 때문일까. 은빛 빙어가 낚싯줄에 주렁주렁 매달려 얼음 구멍 위로 올라왔다.
"와, 또 잡았다!"
여기저기에서 환호성이 쏟아졌다.
그다음에는 무슨 일이 일어나는지를 쉽게 짐작할 수 있을 것이다. 빙어가 올라올 때마다 초고추장에 찍어서 "소주 한잔, 캬~." 이러한 행위를 수없이 반복했다.

빙어낚시의 즐거움은 빙어 트라우마라는 커다란 후유증으로 뒤바뀌었다. 구토, 설사 등 많은 고생을 했다. 빙어의 빙자만 들어도 속이 울렁거렸다. 문제는 역시 술이었다. 흥에 겨워서 자제하지 못한 것이다. 나는 민물 매운탕을 좋아한다. 매운탕 집에 가면 의례적으로 빙어 튀김을 먹곤 했다. 빙어의 고소함은 별미다. 그러나 그날 이후부터 지금까지 빙어를 먹지 못한다.

얼마의 시간이 흘러야 빙어 맛이나 겨울 추억이 되살아날지 모르겠다. 빠른 시간 내에 그리 되면 좋겠다. 술은 좋은 추억도 안겨주지만 괴로운 트라우마도 남겨준다. 알 수 없는 존재, 그 이름은 바로 술이다.

미화원 아저씨, 고맙습니다

전날 과음한 탓으로 비몽사몽 헤매고 있는데 자취방 주인아주머니가 창문을 똑똑 두드렸다. 전화가 왔으니 빨리 받으라는 것이다. 하숙생, 자취생들은 주인집 전화번호를 자신의 연락처로 사용했던 시절이다. 급히 일어나 주인집 거실로 가서 전화를 받았다. 전화를 받은 나는 몹시 황당했다. 상대방이 전화를 한 요지는 나의 책가방을 보관하고 있으니 찾아가라는 것이다. 이것이 무슨 일인가 혼란해하면서 자취방을 살펴보았다. 그러나 가방을 발견할 수 없었다. 덜 깬 술이 확 깨는 순간이었다.

물어물어 간신히 전화 주인공의 집을 찾아갔다. 정확히 기억할 수는 없지만 제기동 성일중학교와 전철 1호선 제기역 사이의 중간 지점이었던 것 같다. 쭈뼛쭈뼛하면서 가방을 분실한 학생이라고 말씀 드렸다. 미화원 아저씨 집이었다. 그 아저씨는 60대 초중반 정도의 연세에 인상이 매서워 보였다. 안암로터리 주변을 담당한다고 했다. 공터에 멀쩡한 가방이 버려져 있어 가지고 와서 열어 보니 학생증이 있었고 전화번호가 적혀 있어서 연락했다는 것이다.

나는 그 당시 자취를 하고 있었다. 종암동 안암로터리 부근인데 지금은 벽산아파트 단지로 재개발이 되었다. 집 주인은 밤 12시가 되면 대문을 걸어 잠갔다. 때문에 12시가 넘으면 양철대문 우측으로 이어진 옆집 담을 넘어 들어가야 했다. 그날도 새벽까지 술을 먹고 담을 넘어 들어가다가 가방은 옆으로 던져 놓고 몸만 들어갔던 모양이다. 그 가방을 미화원 아저씨가 새벽에 청소하다가 발견하고 집으로 가져갔던 것이다.

아저씨는 나의 전공이 뭐냐, 고향은 어디냐며 이런저런 질문을 했다. 그러면서 요즘 학생들이 술을 너무 많이 먹는다며 혀를 찼다. 이제는 대학생 가방까지 주워 왔으니 한심하다며 손가락으로 나를 가리켰다. 순간적으로 반항기가 올라 삐딱하게 대답했다.

"예~, 뭐 이런 것이 다 젊은 날의 추억 아니겠어요?"

아저씨가 어떤 말을 해도 달게 들었어야 했는데 술이 덜 깼는지 그만 헛소리를 하고 만 것이다. 그랬더니 아저씨가 갑자기 나에게 귀싸대기를 한방 올려쳤다. 촌놈이 서울로 유학 왔으면 공부를 열심히 해야지 술 먹고 책가방까지 분실한 주제에 반성은 하지 않고 거들먹거리느냐는 것이었다. 그리고 마지막 한마디를 했다. 나는 망연자실하지 않을 수 없었다.

"야, 인마! 시골에 계신 부모님 생각은 안 하고 사니?"

내가 다닌 고려대에는 다람쥐길이라는 학교 내 명소가 있다. 본관 뒤에 있는 오솔길인데 예전에는 폭 좁은 흙길이었다. 남녀가 함께 가다가 다람쥐를 보면 연인이 된다는 설도 있고 반면에 동성이 함께 가다가 다람쥐를 보면 4년 내내 짝꿍을 못 만난다는 다람쥐의 저주설도 있는 곳이다. 외롭고 쓸쓸할 때면 종종 걷던 길이기도 했다.

미화원 아저씨에게 한 방 얻어맞은 그날, 다람쥐 길에서 우연히 후배 여학생과 마주쳤다. 그 후배 여학생은 내가 각별하게 생각하던 여학생이었다. 가볍게 인사하고 지나가려는데 한마디를 전해 왔다.
"형, 어디 아파요? 건강 조심하세요."
그런데 그 후배의 말이 미화원 아저씨에게 들었던 "부모님께 미안하지도 않니?"라는 말과 묘하게 오버랩이 되면서 나의 눈물샘을 자극했다. 그날 사내답지 못하게 많은 눈물을 흘리고 말았다.

아직도 그때 미화원 아저씨에게 얻어맞은 귀싸대기에 뺨이 얼얼한 듯 느껴진다. 학창시절에 그나마 제정신을 차리게 된 결정적인 계기가 바로 그 가방 분실 사건이 아니었나 생각해 본다. 용기가 없어서 그분을 찾아가지 못했는데 뒤늦게나마 고맙다는 말을 전해 본다.

술은 이런 것이다.

돌파구

결정적인 돌파구가 필요했다. 그녀에게 운명적인 본능을 자극해야 했다. 직장 초년병 시절에 연애 문제로 속앓이가 많았다. 그중에는 '어떻게 하면 멋진 데이트를 해서 점수를 얻을 수 있을까.' 하는 것도 있었다. 술 먹는 것 이외에는 도통 참신한 이벤트를 만들어내지 못하고 있었기 때문이다. 그녀의 표정에서 많은 실망감을 읽을 수 있었다.

"어디 가고 싶은 곳 없으세요? 먹고 싶은 것 없어요?"

이렇게 물어 보면 그녀는 톡 쏘듯 대답했다.

"알아서 하세요~."

그럴 때마다 막막했다. 막다른 골목에 다다른 듯한 느낌이었다.

고민 끝에 산을 선택했다. 나도 그녀도 산을 별로 좋아하지 않는데 그 점이 오히려 반전 효과가 있을 것이라고 생각했다. 도심 속의 아스팔트 냄새를 벗어나자. 자연의 맑은 공기가 신선함을 줄 것이다. 뭐 그러한 생각을 한 것이다. 오르내리면서 손도 잡아 주고 하면 더 가까워질 수 있겠다는 판단도 했다.

도봉산으로 갔다. 도봉산 입구는 막걸리, 도토리묵, 파전, 부침개 등을 파는 가게들이 죽 늘어서 있었다. 오히려 요즈음보다 더 성황이었다. "내려올 산에는 뭐 하러 올라가는가."라는 말도 안 되는 명분을 앞세워 입구 잔디밭에 자리를 잡았다. 막걸리와 함께 웃고 떠들었다. 처음 야외로 나와서 그런지 그녀도 재미있다는 표정이었다. 시니컬함이 누그러지고 이야기도 많이 하고 자주 웃기도 했다. 어느새 막걸리 병은 농구 한 팀의 구성원 숫자를 넘어섰다.

시내로 들어가는 간선 버스를 탔다. 시청을 지나서 서소문 대한항공 빌딩 앞 정거장에서 내리는 노선이었다. 역곡역 부근에 집이 있었던 그녀의 귀가 편의를 위해서다. 그런데 순조로웠던 도봉산 데이트는 뜻하지 않은 상황에 봉착했다. 나의 돌출행동이 발생한 것이다. 나는 버스 앞쪽으로 나가서 마이크를 잡았다. 용감한 행동이라고 말할 수는 없고 제정신이 아니었다는 표현이 더 정확할 것이다. 관광회사에서 아르바이트를 했던 경험이 무의식에 작용했는지 모르지만 지금 생각해 보아도 뻔뻔하기 그지없던 행동이었다.

그 버스 안에서 그녀에 대한 사랑고백을 했다. 그리고 그녀를 승객들에게 소개도 했다. 예상 외로 승객들의 반응이 뜨거웠다.

"멋있다."

"여자 친구분 예쁘네요."

손뼉 치며 응원해 주었다.

요즈음 노선버스 안에서 나와 같은 돌출행동을 한다면 운전 방해 혐의로 즉시 경찰서로 넘겨질 것이다. 설령 기사님이 승낙을 해준다고 해도 승객들이 허락하지 않을 것이다. 그런데 그 시절에는 기사님도 마이크를 선뜻 내어주고 승객 여러분들도 이해해주었으니 그런대로 낭만이 있었나 보다.

다음 날, 버스에서 일어났던 일을 생각하니 걱정이 앞섰다. 너무 오버했나 하는 생각이 들었기 때문이다. 그녀가 어떻게 생각했을지 하는 조바심에 안절부절 견딜 수 없었다. 조신하고 낯가림이 심한 그녀를 공개적으로 망신을 준 어처구니없는 해프닝일 수도 있겠다 싶었다.

그녀에게 나의 취중진담으로 이해해 달라고 말했다. 결과는 노심초사했던 것과는 달리 오히려 긍정적이었다. 그 일을 계기로 서로 더욱 가까워지게 되었다. 그녀에게 나의 또 다른 모습을 보였기 때문이다. 그해 11월 그녀와 나는 결혼을 했다. 물론 그녀는 지금의 아내다.

되돌아보면 도봉산 버스 돌출행동이 나의 연애 프로젝트를 성공으로 이끈 결정적인 돌파구였던 셈이다. 술에 힘입은 용기백배가 때로는 우리의 인생살이에서 큰 전환점을 제공해 주기도 한다.

술이란 그런 것이다.

주도(酒道) 확립

　일상생활에서 '옥에 티'라는 말을 자주 듣기도 하고 사용하기도 한다. 한 사람의 사람됨에 있어서 술이라는 것이 옥에 티로 작용하는 사례가 많아서 안타깝다. 술은 잠시 방심하여 조금이라도 잘못 다스리면 술의 순기능과는 정반대의 결과를 가져다준다. 개망신에서 심지어 죽음에 이르기까지. 한잔 술의 다스림이 그만큼 중요하다.

　한 통의 전화를 받았다. 잘 아는 후배에 대한 평판 조회, 이른바 레퍼런스 체크에 대한 협조를 요청하는 전화였다. 선뜻 승낙했다. 내가 아는 그 후배는 흠 잡을 데가 별로 없었기 때문이다. 단 술에 관한 점을 제외하고는 말이다.
　형식적이라고 생각했는데 예상과는 다르게 이것저것 집요하게 물어보았다. 개인적인 인성에서부터 조직관리 능력, 대외적인 영업 능력, 그리고 이 사람을 적극적으로 추천할 용의가 있는지 등. 후배의 좋은 점을 지나치게 부각시킨 점도 없지 않아 있었다. 후배에 대한 애정이 컸기 때문이다. 그 후배는 좋은 조건으로 직장을 옮겨갔다. 그러나 그는 옮겨간 새 직장에서 그리 오래 근무하지 못했다. 바로 그 술버릇 때문이었다.

　그 후배는 다른 건 다 좋은데 술을 먹으면 문제를 일으킨다. 이른바 주사가 있다는 것이다. 사회생활을 하는 데 있어서 금기

시해야 하는 것 중에는 당연히 주사가 으뜸이다. 좀 심하게 표현하자면 주사가 있는 사람이라고 한번 낙인찍히면 그 사람의 회사 생활은 볼 장 다 본 것이다. 어디 직장생활에서만 그렇겠는가? 가정에서는 더욱 문제가 된다. 주사가 심한 사람을 연인이나 배우자로 선택한다는 것은 매우 곤란한 문제다.

주사의 특징은 언젠가는 반드시 만천하에 드러난다는 점이다. '자나 깨나 불조심'이라는 포스터 문구가 있는데 마시나 안 마시나 술 조심이라는 술 조심 포스터를 마음속에 새겨야 하겠다. 또한 "사주는 속여도 팔자는 못 속이는 법이다."라는 말이 있다. 다시 고쳐 써야 하겠다.

"사주는 속여도 주사는 못 속이는 법이다."라고.

술로 인한 '옥에 티'라면 너무 억울하지 않은가.

독서칠결에 비춘 일곱 가지 주도

〈독서칠결(讀書七訣)〉은 성문준(成文濬, 1559~1626)이 신량(申澒)을 위해 써준 글이다.

독서하는 데 유념해야 할 일곱 가지를 들어 경전 공부에 임하는 자세를 말하고 있다. 서문을 보면 13세 소년은 워낙 재주가 뛰어났다. 하지만 책을 읽어 가늠하는 저울질의 역량은 아직 갖춰지지 않았다. 『문선(文選)』을 읽는데 어디서부터 들어가야 할지 몰라 갈팡질팡하고 있었다.

생뚱맞을지도 모르겠으나, 독서칠결의 원칙에서 주도의 원칙을 배운다. 나도 당신도 아직 어떻게 술을 마시는 것이 올바른 길인지 모르고 갈팡질팡하고 있지 않은가?

첫째, 한 권당 1~2년씩 집중하여 수백 번씩 줄줄 외울 때까지 읽는다. 다 외운 책은 불에 태워 없애 버릴 각오로 읽어야 한다. 그래야 어느 옆구리를 찔러도 막힘없이 나온다.

주도 1. 술 한잔의 의미를 깊게 새기며 마신다. 누가 왜 술을 먹느냐고 물어도 막힘없이 술술 대답할 수 있어야 한다.

둘째, 건너뛰는 법 없이 처음부터 끝까지 통째로 읽어야 한다.

주도 2. 술의 총량을 정해 놓고 마신다. 기분 좋다고 한잔, 기분 나쁘다고 한잔, 이런 식이라면 술좌석의 멈춤이 없고 술 먹는 의미도 없다.

셋째, 감정을 이입해서 몰입해야 한다. 『논어』를 읽다가 제자가 스승에게 질문하는 대목과 만나면 자기가 묻는 듯이 하고, 성인의 대답은 오늘 막 스승에게서 처음 듣는 것처럼 하면 절실해서 못 알아들을 것이 없게 된다.

주도 3. 기왕 참석한 술좌석이라면 마찬가지로 감정을 이입해서 몰입해야 한다. 오가는 대화에 적극적으로 참여하라. 인생을 배우는 소중한 기회일 수 있다.

넷째, 계통을 갖춰서 번지수를 잘 알고 읽어야 한다. 군대의 대오처럼 정연하게 단락과 구문의 가락을 질서를 갖춰 읽는다. 덮어놓고 읽지 않고 기승전결의 맥락을 두어서 읽는다. 전체 글의 어디쯤에 해당하는지 따져가며 본다.

주도 4. 우선 술 마시는 시간의 처음과 끝을 헤아린다. 뒤이어 기승전결의 흐름을 가지고 마신다. 술 마시는 진도가 어디쯤에 해당하는지 따져가며 마신다.

다섯째, 낮에 읽고 밤에 생각하는 방식으로 되새겨 읽는다. 부산한 낮에는 열심히 읽어 외우고, 고요한 밤에는 낮에 읽은 글에서 풀리지 않는 부분을 따져서 깨친다.

주도 5. 간밤의 술자리를 복기해 본다. 특히 실수한 부분은 없는지를 따져서 깨친다. 이른바 필름이 끊겨 생각나지 않는다면 술 먹을 자격이 없음을 겸허히 인정하라.

여섯째, 작자의 마음속 생각을 얻으려고 노력해야 한다. 옛사람의 정신과 기백을 내 안에 깃들이려면 어린아이 같은 마음을 제거해서 조야한 습속을 밑동째 뽑아 버려야 한다.

주도 6. 술 상대방의 마음을 얻으려고 노력해야 한다. 치기어린 마음을 버리고 대인의 기상으로 대작해야 한다. 한잔의 술이 좋은 인연의 시작일 수도 있다.

일곱째, 읽는 데 그치지 말고 자기 글로 엮어 보는 연습을 병

행하는 것이다. 안으로 구겨 넣기만 하고 밖으로 펼침이 없으면 독서의 마지막 화룡점정은 이뤄지지 않는다.

주도 7. 마시는 데만 급급해서는 안 된다. 술 마시는 의미를 정리해 본다. 부어라 마셔라 안으로 부어넣기만 하면 음주의 화룡점정은 이루어지지 않는다. 진정한 주도 확립은 요원하다.

다음은 수주 변영로의 『명정 40년』에 나오는 에피소드의 한 부분에 대한 스케치다.

"그는 그 친구들과 함께 술을 마시고 춤을 추다가 옷을 홀라당 벗고 발가벗은 알몸으로 암소를 거꾸로 타고 종로 보신각으로 내려왔다. 사람들이 놀라 아우성을 쳤고 달려온 일본 순사가 기가 죽어 어쩔 줄 몰라 했다."

수주 선생의 호방함이 한편으로는 부럽기도 하지만 그렇다고 수주 선생을 따라할 수는 없지 않은가? 더구나 21세기인 요즈음에는 말이다.

"술로 흥한 자 술로 망한다."고 했다. 술로 인한 추락에는 날개가 없다. 술에 끌려가지 말고 술을 이끌어 가야 한다. 참으로 어려운 문제다. 그러나 반드시 해결해야만 한다.

당신이라는 브랜드가 보석처럼 빛나야 하기 때문이다. 당신의 그날을 위하여~, 건배!

8장. 독서

책 읽어주는 당신, 책 선물하는 당신

"책 읽는 습관을 기르는 것은
인생의 모든 불안으로부터
스스로를 지키는 피난처를 만드는 것이다."

- 윌리엄 서머싯 몸(William Somerset Maugham,
  1874~1965). 소설가, 극작가.

반면교사

나의 어린 시절, 시골에서 대학생이라는 신분은 천연기념물에 버금가는 존재였다. 그는 그런 대학생이었다. 그는 여름방학 즈음하여 가끔 나타난다. 그럴 때마다 화제의 주인공이 된다. 멋진 장면을 연출하기 때문이다. 그중에서 몇 가지를 소개한다.

그는 가끔 소를 몰고 들녘으로 나간다. 소가 뜯어먹을 풀이 무성하고 또한 나무 그늘까지 있는 냇가 한 켠을 골라서 말뚝을 박는다. 그리고 그늘에 앉아 책을 읽는다. 소는 풍요롭게 풀을 뜯고 있다. 한 폭의 정겨운 풍경화에 다름 아니다. 요즈음으로 치면 유튜브 동영상에 등장할 만한 값진 콘텐츠다. 이러한 그의 모습에 대하여 동네 사람들의 칭찬이 릴레이하듯 이어졌다.

그림 같은 그의 모습은 그것이 전부가 아니었다. 플라타너스 나무가 국민학교 운동장을 병풍처럼 둘러싸고 있고 넓은 나뭇잎은 시원한 그늘을 만들어 주었다. 그는 거기에서도 책을 읽는다. 매미 소리에 귀가 따가울 지경이지만 그는 오로지 책을 보고 있다. 동네 어머니들은 그런 그에게 시원한 수박을 내어다 주었다. 그를 자식인 양 대견해하고 자랑스러워했다. 그 대학생처럼 책 좀 읽으라는 어머니들의 잔소리는 나와 친구들을 짜증나게 하는 단골 메뉴였다. 지금도 가끔 생각해 본다. 그 당시에 그 대학생은 진정으로 책을 좋아했었는가? 아니면 시쳇말로 폼생폼사였는가? 어린 시절 책에 관한 추억의 한 페이지다.

세월이 흘러서 나도 대학생이 되었다. 다른 것은 몰라도 책에 관한 한 어릴 적 그 대학생의 모습을 닮고자 했다. 1학년 1학기까지는 그랬던 것 같다. 주요 활동 무대가 학교 도서관이었다. 최인훈의 『광장』을 읽었고, 사무엘 베케트(Samuel Beckett, 1906~1989)의 『고도를 기다리며』를 읽었다. 그러나 안타깝게도 그러한 모습은 오래가지 못했다. 대학생활을 어떻게 해야 하는가에 대한 고민이 늘어갔다. 열등감이랄까 매사가 삐딱하게 보였다. 그렇다고 최루탄에 당당히 맞설 용기도 없었다. 등록금이라는 현실적인 고민도 있었다. 돌파구가 필요했다. 1982년 1월 대한민국 군인이 되었다. 결과적으로 책과의 이별이기도 했다. 복학한 후에 친구들로부터 종종 들은 이야기다.

"군대 갔다 오더니 많이 변했다."

내가 생각해 보아도 많이 변했다. 아니 변하려고 노력했다. 더 긍정적으로 더 적극적으로 말이다. 그런데 너무나 적극적으로 너무나 긍정적으로 변한 것이 문제가 되었다. 내 나름의 웃기는 개똥철학이 생긴 것이다. 말하자면 세상이 곧 책이라는 생각이다.

"독서(讀書)도 좋지만 독세(讀世)가 더 중요하다."

지금 생각해도 치졸하기는 하지만 틀린 말은 아닌 듯하다. 아마 내공이 있는 다른 사람이 주장했더라면 더욱 설득력이 있었을 것이다.

세상이 곧 책이니 책을 읽는 방법도 달라졌다. 술을 먹는 것이 곧 독서가 된 셈이다. 주위에 외쳤다. "세상을 아십니까?"라고 말이다. 이러한 웃기는 연유로 인하여 읽어야 할 진짜 책은 나에게서 멀어져 갔다.

그런데 이 글을 쓰고 있는 즈음에 '맥주를 파는 서점'이 있다는 사실을 알았다. 술과 독서는 상극일 것 같은데 의외로 궁합이 잘 맞는다는 입소문도 있다고 한다. 이러한 새로운 주서점(酒書店)이 좀 더 일찍이 나왔으면 나는 더 치열하게 주(酒)경야독 했을 것이다.

세월은 또 흘러서 회사원이 되었다. 직장생활을 하면서도 책에 대한 나름의 철학은 변함없었다. 술이 곧 책이라는 그 생각 말이다. 학교에서와 달리 직장에서는 나와 같이 생각하는 사람들이 의외로 많았다. 자연스레 주류(酒流) 네트워크가 형성되었다. 술에 얽힌 슬프고도 재미있는 사건 사고가 이어졌다. 그 내용을 책으로 옮긴다면 21세기 버전 수주 변영로의 『명정 40년』이 여러 권 탄생할 것이다. 그렇게 나와 진짜 책과의 거리가 좁혀지지 못하는 동안에 세월은 강물처럼 흘러갔다.

어느덧 50대의 나이가 되었다. 일찍이 공자는 지천명의 나이라고 했다. 공자가 말하는 지천명의 참뜻이 궁금했다. 천명을 안다는 것인데 천명이 무엇인가? 공자는 『중용』 첫머리에서 "천명은 본성이다(天命之謂性)."라고 말했다. 천명은 하늘의 명이다. 하늘의 뜻이 무엇인가? 내가 왜 이 땅에 태어났는가? 나의 존재 이유는 무엇인가? 살아갈 이유는 무엇인가? 하늘이 나에게 주어진 미션과 사명은 무엇인가? 이것을 말하는 것이다. 공자는 인생을 돌아보니 50대에 그것을 알았다고 한다. 아니 알아야 한다는 것이다. 지천명이라는 세 글자가 "너는 그러한 수준이 되느냐?"라는 질문으로 들렸다.

하늘의 뜻은 고사하고 땅의 뜻도 알 턱이 없었다. 그 나이에 즈음하여 더욱더 괴로웠던 것은 "내가 참으로 무식하다."는 깨우침이 생겼기 때문이다. 세상사 남은 속일지 몰라도 자기 자신은 속일 수 없다. 무엇을 제대로 알지 못한다는 것이 괴로움과 불안의 근원이라는 것을 느끼기 시작했다. 괴로움과 불행은 어디 먼 곳에 따로 있는 것이 아니었다. 어리석게도 "아는 것이 힘이다."라는 의미를 이제야 알게 되었다.

로버트 & 미셸 루트번스타인(Robert & Michele Root-Bernstein)은 『생각의 탄생』에서 다음과 같이 말한다.

"자신이 무엇을 모르는지 아는 것, 곧 무지의 패턴을 아는 것은 무엇을 아는지 아는 것만큼 귀중하다."

나의 이러한 깨달음의 결론은 공자의 '지학(志學)'이다. 지학의 실천 방안은 '책'이다. 그로부터 '진짜 책'이 눈에 들어오기 시작했다. 그 이후로 나름 열심히 책을 읽고 있다. 이렇게 책을 쓰고 있는 것도 '지학'의 과정이다.

나는 늦게라도 책을 가까이 하게 된 것을 무척이나 다행스럽게 생각하고 있다. 책을 읽고 또한 글을 쓰는 시간이 매우 힘이 들기도 하지만 결과적으로는 행복감을 맛보는 시간이 되었다. 뒤늦게 철이 든 것이다. 책은 누군가가 나에게 던져준 마지막 선물이라고 생각하고 있다.

"사람도 늦바람이 무섭다."라는 말이 있다. 나에게 찾아온 책이라는 애인과 실컷 바람을 피워서 여기저기에 평지풍파를 일으켜 보겠다는 야무진 꿈도 가지고 있다.

지금껏 책에 관한 나의 불편한 진실을 장황하게 늘어놓았다. 나는 감히 책에 대하여 이러니저러니 이야기를 할 수 있는 깜냥이 되지 못한다. 그럴 만한 실력이나 내공도 가지고 있지 못하다. 그러나 세상에는 '귀감'이라는 말과 같은 모범적인 본보기만 있는 것은 아니다. 타산지석이 있고 반면교사의 잣대도 있다. 나의 경우는 당신에게 반면교사의 잣대로 특히 요긴할 것이다. 부디 책에 관한 나의 부끄러운 고백이 당신이 책과 친해지는 계기가 되기를 희망해 본다.

나는 서점에 간다

미국의 역사학자 바바라 터크만(Barbara Tuchman, 1912~1989)의 책에 대한 정의다. 내가 생각하기에는 가장 멋진 정의다.

"책은 문명의 전달자다. 책이 없다면 역사는 침묵하게 되고 문학은 할 말을 잃으며 또 과학은 불구가 되고 사색과 사고는 정지하게 된다. 책이 없었다면 문명의 발달은 불가능했을 것이다. 책은 변화의 원동력이며 세상을 내다보는 창이며, 시간이라는 바다에 세워진 등대다. 책은 동반자이고 스승이고 마술사이며 마음의 보물을 관리하는 은행가다. 인류를 인쇄한 것, 그것이 바로 책이다."

서울 자양동 뚝섬유원지 부근에서 30년 가까이 살고 있다. 원래 신혼집은 잠실 신천역 새마을시장 부근이었는데 처음으로 내 집을 장만해서 이사 온 곳이다.

비좁은 단칸방에서 20평형 아파트로 왔으니 그 감격은 이루 말할 수 없었다. 그 감격은 책과 관련된 기억과 함께 나를 이곳 자양동에서 떠나지 못하게 하고 있다.

이사 온 아파트 후문 쪽 상가 1층에 아담한 서점 하나가 있었다. 서점이라기보다는 책방이라는 표현이 더 어울리는 그런 곳이었다. 학생들을 위한 학습지가 많았는데 기초과학서, 철학서, 인문서도 적지 않게 있었다. 공간이 넓지 않은 점을 감안하면 매우 의미 있는 책 구성이라는 생각을 하곤 했다. 그런데 무엇보다도 인상 깊었던 것은 바로 서점 주인이었다. 겉모습부터 예사롭지 않았다. 머리는 백발이었고 연령은 가늠하기 어려웠다. 매서운 눈빛은 이른바 왕년에 한가락 했을 것 같은 포스를 만들어 주었다. 비교적 말이 적은 편이었는데 가끔씩 "사람들이 너무 책을 읽지 않는다."는 걱정을 하곤 했다. 솔직히 처음에는 그러한 말이 장삿속이라고 생각했다. 그런데 자주 만나서 이야기를 들어 보니 내 생각이 잘못된 것이었다. 출판계는 물론 우리 학생들의 앞날을 진정으로 걱정하는 말이었다.

어느 날 문득 그 서점이 생각나서 상가를 찾았다. 예전에 살던 곳과 지금 사는 곳은 같은 자양동이긴 하지만 그리 가깝지 않다. 오랜만에 와보니 낯설었다. 그런데 예상 외로 그리 많이 변하지는 않았다. 그 서점만 없어지고 프랜차이즈 이발소가 그 자리를 대신 차지하고 있었다. 허전한 마음에 잠시 감상에 젖었다. 서점 주인아저씨는 어디로 갔을까?

추억의 그 서점뿐만 아니라 동네 서점이 대부분 사라졌다. 대신에 백화점, 할인점, 몰에 대형 서점이 들어섰다. 책을 구입하는 편의성 측면에서는 더 좋은 환경으로의 변화라고도 할 수 있다. 그러나 정겨운 추억들이 하나씩 지워져 가는 것 같아 쓸쓸했다. 급변하는 출판 환경을 직접 피부로 느끼고 나니 안타까운 마음을 지울 수 없었다. 사람들이 책을 안 읽는다고 걱정하던 서점 주인의 얼굴이 눈앞에 어른거렸다.

없어진 동네 서점의 아쉬움을 뒤로 하고서 주변의 대형 서점을 찾는다. 이곳은 나에게 매우 유익한 공간이 되어가고 있다. 퇴근 시간에 잠시 들러서 시도 읽고 새로 나온 책에 대한 정보도 얻는다. 물론 책도 구입한다. 백화점과 대형 마트가 함께 입주해 있어서 주말이나 휴일에 아내의 장보기가 길어질 때면 지루함을 달래는 장소이기도 하다. 가끔은 새소리처럼 맑고 희망적인 소리를 듣는 기쁨도 있다. 친구들이나 때로는 연인들이 와서 함께 책을 고르는 소리다. 이 책은 어쩌구저쩌구 하는 그 소리가 참 듣기 좋다. 당신도 서점에 가면 귀를 열고 그 소리를 들어보기 바란다.

그런데 이곳에 올 때마다 한 가지 아쉬운 점이 있다. 몇 개 있던 간이 의자가 아예 자취를 감추어 버렸다. 서점에 가서 의자에 앉아 책을 읽는 재미도 쏠쏠한 것이었다. 이제는 바닥에 궁둥이를 대고서 책을 읽을 용기가 없어졌다. 이러한 나의 마음을 알았는지 교보문고의 변신은 더욱 반갑게 다가온다. 여러 명이 동시에 앉아서 책을 볼 수 있도록 독서테이블을 설치한 것이다. 언론의 표현으로는 '도서관식 서점'이라고 한다. 좀 과장되게 표현하면 책을 파는 곳이 아니라 일종의 문화 공간 같았다. 그렇게 서점에서 오랫동안 머물 수 있으면 미안해서라도 책 한 권을 더 구입하지 않을까 생각해 본다.

예전에는 서점이 책과 사람뿐만 아니라 사람과 사람을 연결해주는 공간이기도 했다. 내가 대학 초년병 시절이던 1980년대 초반에만 해도 대학가 주변에는 서점들이 많이 있었다. 그곳은 학생들의 사랑방이었고 만남의 장소였다. 서점 메모판에는 약속장소를 알리는 이런 저런 메모가 많이 나붙곤 했다. 시위가 있는 날이면 책가방을 맡겨놓고 시위에 참여하기도 했다. 대신 최루탄 가득한 가방을 들고 가야 했다.

서점을 이야기하자면 교보문고나 영풍문고, 종로서적의 경험을 빼놓을 수 없다. 그곳은 오랜 세월 동안 사람과 책, 그리고 사람과 사람이 만나는 소중한 공간이었다.

특히 교보문고 광화문점의 등장감은 강력했다. 매장 면적 등 규모도 놀라웠지만 "사람은 책을 만들고 책은 사람을 만든다."는 설립 이념이 특히 인상 깊었다. 한때 누리꾼들의 화제가 되었던 '한 대형문고의 운영방침'이라는 제목의 글도 알고 보니 이곳 창업자의 지침이었다.

모든 고객에게 친절하고 초등학생들에게도 반드시 존댓말을 쓸 것

책을 이것저것 빼보기만 하고 사지 않더라도 눈총 주지 말 것
앉아서 노트에 책을 베끼더라도 제지하지 말고 그냥 둘 것
  간혹 책을 훔쳐가더라도 도둑 취급을 하면서 절대 망신주지
말고 남의 눈에 띄지 않는 곳으로 데려가 좋은 말로 타이를 것

  루이스 버즈비(Lewis Buzbee)의 책『노란 불빛의 서점』에는
서점의 분위기와 책의 향기에 관한 알맞은 글을 만날 수 있다.
서점에 대한 나의 변덕스러운 가슴앓이가 약간은 순화되는 것
같은 느낌을 받는다.

  "서점은 워낙 여러 곳에서 매혹을 발산하기 때문에 왠지 우리
도 시간을 내어 그곳을 천천히 둘러봐야 할 것 같다. 우리는 서
가를 맨 꼭대기에서부터 아래까지 샅샅이 훑어 내려간다. 주위
에 있는 고객들을 둘러보기도 하고 열린 문틈으로 갑자기 불어
닥친 차가운 바람에 흠칫 몸을 떨기도 한다. 정말로 원하는 게
무엇인지는 잘 모르는 채로 말이다. 그런데 거기 그 수북한 테
이블 위에 혹은 서가 맨 아래 칸에 먼지를 잔뜩 뒤집어쓴 숨어
있는 책 한 권을 만난다. 범상하기만 한 이 물건을! 이 특별한
책은 5천 부 혹은 5만 부 혹은 50만 부씩 세상을 돌아다니고
있을지도 모른다. 정확히 똑같은 내용으로 말이다. 그러나 지
금 마주친 바로 이 책은 오롯이 우리를 위해서만 세상에 나온

양 귀하기가 말로 다할 수 없다. 자. 첫 장을 열어보라. 눈앞에 온 우주가 펼쳐진다. '옛날 옛적에….'"

나를 키운 것은 도서관

'색다른 도서관'이라는 말을 들어 보았는가? 아프리카 케냐에서는 낙타를 이용한 '낙타 이동도서관'이 운영되고 있다. 낙타 이동도서관은 낙타의 등에 책을 매달고 케냐의 오지 구석구석에 위치해 있는 작은 마을까지 찾아간다. 마샤 해밀턴(Masha Hamilton)의 소설 『낙타 이동도서관(The Camel Bookmobile)』에 나오는 실제 소재이기도 하다.

라오스에는 물 위에 살거나 또는 육상 교통이 발달하지 않은 오지에 사는 사람들을 위한 '배 도서관(Boat Library)'이 있다. 인도네시아에서는 오토바이나 자전거를 이용해 빈민촌 아이들을 위해 좁은 골목까지 책을 가져다주는데 바로 '자전거·오토바이 도서관'이다. 또한 '국경 없는 도서관'이라는 것도 있다. '아이디어 박스'라고도 불리고 있는데, 난민을 지원하는 도서관이다.

"도서관의 목적은 책을 보전하는 데 있는가, 책을 읽기 위한 곳인가?"

『장미의 이름』을 쓴 움베르토 에코(Umberto Eco, 1932~2016)의 질문이다.

"나를 키운 것은 어릴 적 동네 작은 도서관이었다."

세계 최대의 부호 빌 게이츠가 자신의 성공 비결에 대한 질문을 받고서 대답한 말이다. 그는 집 근처에 있는 도서관을 자기 집처럼 드나들었다. 도서관에서 열심히 책을 읽었고 그것은 훗날 빌 게이츠의 창의력으로 나타났다.

"책은 위대한 천재가 인류에 남긴 유산이다."

발명왕 토마스 에디슨(Thomas Alva Edison, 1847~1931)의 말이다. 에디슨 또한 발명왕과 성공한 사업가가 될 수 있었던 데에는 독서와 도서관의 영향이 컸다. 에디슨은 도서관에서 살다시피 하면서 원 없이 독서했다. 이러한 독서는 에디슨이 독창적인 사고를 할 수 있도록 도와주었다.

환경이 사람을 좌우한다는 말이 있다. 우리가 잘 아는 맹모삼천지교가 대표적 사례다. 도서관 근처로 주거 환경을 옮기는 것을 최고의 자녀교육으로 삼으라는 제안이 설득적으로 다가온다. 도서관을 생활 무대로 자란 아이들이 그렇지 않은 환경에서 지낸 아이들보다 더 잘 성장하고 인정받을 가능성이 많다고한다. 어릴 적부터 도서관을 다닌 아이들은 커서도 독서 습관을 그대로 유지할 가능성이 많기 때문이다. 빌 게이츠나 에디슨의 어린 시절처럼 실제로 요즈음 동네 도서관을 가보면 엄마와 함께 도서관을 찾는 아이들을 많이 보게 된다. 그 모습이 그렇게 아름다워 보일 수 없다. 위인들이나 성공하는 사람들의 공통점 중에는 도서관 중독증 환자들이 많다. 나도 그렇고 당신도 마찬가지다. 늦지 않았다. 지금 당장 도서관을 제집 드나들 듯이 오고가야 하겠다.

도서관에 가면

누군가는 도서관을 보물창고라고 한다. 도서관을 자주 찾는 사람들은 도서관처럼 좋은 곳도 없다는 것을 잘 알고 있다. 도서관이 실제로 보물창고라는 것을 알기 때문이다. 매사 습관이 중요하다. 도서관 가는 것도 습관화해야 한다. 습관은 처음에는 힘이 들지만 습관이 되고 나면 관성이 붙어서 오히려 멈추기가 어려워진다. 도서관 중독증 사람들은 외친다. 도서관에 가는 습관을 들여서 인생이 달라지는 것을 느끼라고. 도서관에 가면 무엇이 좋을까? 어린아이처럼 하나씩 꼽아 보았다.

첫째, 도서관에 가면 누구나 책 부자가 된다.
도서관의 모든 책을 자기 책처럼 활용할 수 있다. 실제로 대학 도서관이나 공공 도서관에 가보면 읽고 싶은 책을 대부분 구할 수 있다. 없는 경우에도 구해 달라고 요청하면 빠른 시일 내에 구해 주기도 한다. 이처럼 행복한 경우를 어디에서 맛볼 수 있겠는가?

둘째, 도서관에 가면 집중력이 생긴다.

주말이나 휴일 집에서는 여러 가지 이유로 책에 집중하기가 곤란하다. 도서관에 가면 다르다. 모두가 책을 읽고 있는데 자기 혼자만 딴짓을 할 수 없다. 설령 졸음이 쏟아진다고 해도 기어코 극복하고자 애를 쓴다. 반면에 집에서는 속절없이 쓰러져 잠을 자기 일쑤다.

셋째, 도서관에 가면 건강한 자극을 받는다.

손에서 책을 떼지 않는 사람들의 모습을 많이 만날 수 있다. 그들과 견주어서 당신을 되돌아볼 수 있다. 도서관은 책을 읽는 것은 물론이고 많은 다른 것을 경험할 수 있다. 전시회도 열리고 영화도 볼 수 있고 때로는 작가와 대화를 나눌 기회도 있다. 도서관이 복합 문화공간으로 거듭나고 있기 때문이다.

그리고 덤으로 도서관에서 사랑을 만날 수도 있다. 일본 영화『러브레터』처럼 말이다. 이 영화에서 도서관은 첫 사랑의 배경이 되는 곳이다. 우리나라 영화 〈그 남자의 책 198쪽〉(윤성희 소설집『거기, 당신?』원작) 역시 도서관을 배경으로 하고 있다. 도서관에서 책을 통하여 삶의 변화를 얻게 된다. 도서관에 가지 못할 이유는 단 한 가지도 없다.

우주는 거대한 도서관

호르헤 루이스 보르헤스(Jorge Luis Borges, 1899~1986)를 주목해 본다. 그는 아르헨티나의 소설가이자, 시인, 평론가이며, 20세기를 대표하는 작가로 평가받고 있다. 한편 아르헨티나 국립도서관장을 역임하기도 했다. 그의 작품과 삶 속에서 주목할 만한 개념 가운데 하나가 바로 '도서관'이다.

그는 "천국이 있다면 그것은 도서관일 것이다."라고 했으며 또한 "도서관에서 태어나 도서관에서 살다가 도서관에서 죽어 도서관에 묻혔다."라는 평을 받는다.

단편『바벨의 도서관』에서 그는 우주를 하나의 거대한 도서관으로 묘사했다. 인간은 그 우주에서 신과 같은 '절대의 책'을 찾기 위해서 미로 속을 헤매지만 결국은 찾지 못하는 불완전한 존재로 묘사되고 있다. 보르헤스의 도서관이 나에게 던지는 메시지가 무엇인지 자문해 보았다. 나는 도서관을 찾는 어린이가 되기로 했다.

첫째, 내가 꿈꾸는 나만의 도서관을 갖자.
도서관은 무한한 가능성이 숨 쉬는 곳이기 때문이다.

둘째, 그 도서관에서 책벌레가 되자,
공부는 죽을 때까지 하는 숙명이기 때문이다.

셋째, 꿈, 환상, 도전의 가치를 적극적으로 실행하자.
나이는 숫자에 불과하기 때문이다.

하루하루의 일과 스트레스에 지친 당신에게 보르헤스의 도서관은 지나친 이상향의 도서관일 수 있다. 그러나 당신은 오늘도 내일도 도서관에 가야 한다. 도서관은 아주 훌륭한 '제3의 공간'이기 때문이다. 제1의 공간은 휴식 공간인 집이고 제2의 공간은 작업 공간인 회사다. 이에 비하여 제3의 공간은 항상은 아니지만 규칙적으로 찾아가 여러 사람들과 소통하거나 혼자서 자신만의 여유를 찾고 새로운 아이디어를 발굴하는 등 생활 충전소 역할을 한다. 제3의 공간은 온오프라인에 공히 적용된다. 서울 근교의 분위기 좋은 카페는 물론이고 온라인상의 독서 커뮤니티 또한 좋은 제3의 공간이다. 결국 제3의 공간은 '행복한 삶'에 도움이 된다. 나만의 제3의 공간을 확보하기 위해 노력해야 하는 이유다. 당신이 도서관을 제3의 공간으로 삼는다면, 나는 당신에게 중단 없는 박수를 보낼 것이다.

책의 날을 기념하자

퇴근 무렵에 여기저기서 번개 만남 요청이 들어왔다. 동료에게 물었다. 오늘이 무슨 특별한 날인가요? 번개 요청이 많은데 무슨 이유가 있나요? 3월 3일은 삼겹살데이라고 한다. 아 그랬구나. 나는 예전에 미처 몰랐다.

아내와 일요일 저녁에 장을 보러 갔다. 일을 보고 계산대에 막 다다랐을 때 아내가 내 팔을 잡았다.

"잠깐!"

놀라서 물었다.

"왜 그래? 뭐가 빠졌어?"

아내가 되물었다.

"내일이 무슨 날인지 알아?"

알고 보니 화이트데이였다. 결국 사탕 몇 개를 구입했다.

뒤늦게 알았는데 매월 14일은 우리나라 젊은이들에게 '의미의 날'로 자리 잡고 있었다. 사랑을 기념하거나 또 사랑이 없음을 한탄하는 날이라고도 한다. 예전에 일 년 열두 달의 의미를 노랫말로 하여 재미있게 불리던 노래가 있었다. 바로 〈달 타령〉이라는 노래다. 요즈음 세태를 담은 매월 14일의 의미와 비교해 보았다.

달아 달아 밝은 달아 이태백이~ 놀던 달아
정월에 뜨는 저~ 달은 새 희~망을 주~는 달
(1월 14일은 '다이어리데이')
이월에 뜨는 저~ 달은 동동주를 먹~는 달
(2월 14일은 '발렌타인데이')
삼월에 뜨는 달은 처녀 가슴을 태우는 달
(3월 14일은 '화이트데이')
사월에 뜨는 달은 석가모니 탄생한 달

(4월 14일은 '블랙데이')
달아 달아 밝은 달아 이태백이~ 놀던 달아
오월에 뜨는 저~ 달은 단오~그네 뛰~는 달
(5월 14일은 '옐로데이')
유월에 뜨는 저~ 달은 유두 밀떡 먹~는 달
(6월 14일은 '키스데이')
칠월에 뜨는~ 달은 견우직녀가 만나는 달
(7월 14일은 '실버데이')
팔월에 뜨는 달은 강강수월래 뛰~는 달
(8월 14일은 '그린데이')

달아 달아 밝은 달아 이태백이~ 놀던 달아
구월에 뜨는 저~ 달은 풍년~가를 부르는 달
(9월 14일은 '포토데이' '뮤직데이')
시월에 뜨는 저~ 달은 문풍지를 바르는 달
(10월 14일은 '와인데이')
십일월에 뜨는~달은 동지 팥죽을 먹~는 달
(11월 14일은 '무비데이')
십이월에 뜨는 달은 임 그리워 뜨~는 달
(12월 14일은 '허그데이')

이 밖에도 무수히 많은 기념일이 있다. 가히 기념일 천국이라
는 말이 어색하지 않을 정도다.

'책의 날'을 다시 생각해 보았다. 지인들에게 확인해 본 결과 아무도 그 존재 자체를 알지 못하고 있었다. 물론 나도 몰랐다. 수치스러웠다. '사탕의 날'이라는 둥 일 년 내내 별별 호들갑을 다 떨면서도 '책의 날'은 있는지 없는지조차 모르고 있었으니까 말이다.

  책과 관련된 두 기념일이 있다.

  하나는 4월 23일이다. 정확한 명칭은 '세계 책과 저작권의 날(World Book & Copywriting Day)'이다. 1995년 제정되었으니 2016년을 기준으로 볼 때 20년이 넘었다. '4월 23일'을 책의 날로 정한 이유가 궁금했다. 대문호 셰익스피어(William Shakespeare, 1564~1616)와 세르반테스(Miguel de Cervantes, 1547~1616)가 죽은 날이 4월 23일이다. 에스파냐의 카탈루냐 지방에서는 4월 23일 '책과 장미의 축제' 행사를 연다고 한다. 남성은 여성에게 장미꽃 한 송이를 전하고 여성은 남성에게 책 한 권을 선물하던 전통이 있었다.

  또 하나는 우리나라의 '책의 날'인 10월 11일이다. 세계 책의 날이 제정된 1995년보다 8년이나 앞선 1987년에 제정되어 기념해 오고 있다. 왜 10월 11일일까? 고려 팔만대장경을 완성한 서기 1251년 음력 9월 25일을 양력으로 환산하면 10월 11일이다. 팔만대장경이 완성된 10월 11일을 책의 날로 정한 것이다.

혹자는 '책의 날'을 책 드림(dream)의 날, 즉 꿈을 담아 책을 선물(드림)하는 날이라고 의미를 부여했다. 또한 프랑스에서는 발렌타인데이에 책과 초콜릿을 선물한다고 한다. 나도 당신도 이제 책의 날을 맞아 가장 우선적으로 해야 할 일이 생겼다. 바로 가까운 지인들에게 책을 한 권씩 선물하는 것이다. 화이트데이, 그 이상으로 가슴에 새기고 실천해야 하겠다.

독서법

독일의 대문호인 괴테(Johann Wolfgang von Goethe, 1749~1832)는 독서법에 대하여 이렇게 이야기했다.

"나는 책 읽는 방법을 배우기 위해 80년이라는 세월을 바쳤다. 그러나 아직까지도 잘 배웠다고 말할 수 없다."

독서하는 방법이 간단치가 않음을 이렇게 명확하게 말해주는 사례는 없을 것이다. 책의 귀신에 해당하는 사람이 저렇게 말하고 있으니 말이다.

이미 알려진 독서법에 나의 경험을 더해서 소개한다. 당신의 독서법에 첨삭 재료가 되면 좋겠다.

〈예원의 열 가지 즐거움(藝園十趣)〉이라는 글을 남긴 조선 후기의 문신 삼연 김창흡(1653~ 1722)은 이분 대립하는 방법으로 올바른 독서법을 부각시켰다.

'산 독서'와 '죽은 독서'가 바로 그것이다. 그는 "책을 덮은 뒤에 그 내용이 또렷이 눈앞에 보이면 산 독서이고, 책을 펴놓았을 때에는 알았다가도 책을 덮은 뒤에 망연하면 죽은 독서다."라고 말했다. 옛사람에게 독서는 귀한 음식을 먹듯이 꼭꼭 씹어 삼켜서 영양소를 만드는 과정이었다. '산 독서'는 그런 것이다.

고 신영복 교수는 '독서삼독(三讀)'을 독서법의 기준으로 제시하며 이렇게 말했다.

"먼저 텍스트의 내용을 인지해야 한다. 그런 후 필자가 왜 이런 내용을 썼는가에 대한 이해가 뒷받침돼야 한다. 마지막으로 이해 내용을 바탕으로 자신에게 어떻게 활용할 것인가를 생각하며 읽는 것이 독서의 본질이다. 그러니 3번은 읽어야 한다."

다음은 고 구본형 소장의 독서에 대한 생각이다. 나 스스로는 이것을 '비밀 여행 독서법'이라고 부른다.

"책을 읽는 것은 저자와 함께하는 여행이다. 마치 붉고 정정한 적송(赤松)들이 즐비한 오솔길을 산책하는 듯하고 대숲이 우거진 암자에 앉아 바람을 쐬는 것 같다. 천천히 책 속으로 걸어 들어가면 상쾌하고 시원하다. 그것은 깊은 여행이다. 그와 나만의 매우 은밀하고 비밀스러운 여행이다. 여행이 그 정도는 되어야 함께했다 할 수 있을 것이다."

나는 책 하면 다산 정약용이 가장 먼저 떠오른다. 응당 다산의 독서 방법이 궁금했다. 정약용의 독서법은 '삼박자 독서법'이다. 그것은 '정독(精讀)'과 '질서(疾書)'와 '초서(抄書)'다.

먼저 정독이다. 정독이란 뜻을 새겨가며 글을 아주 꼼꼼하고 세세하게 읽는 것을 말한다. 한 장을 읽더라도 깊이 생각하면서 내용을 정밀하게 따져서 읽는 것이다. 관련 자료를 찾아보고 철저하게 근본을 밝혀내는 독서법이다. 다산은 이렇게 말했다.

"글에 집중하고 한 가지 사실을 공부할 때는 관련된 다양한 다른 책들을 함께 읽어 균형된 시각을 갖되, 그중 대표되는 책을 여러 번 깊이 읽어 그 뜻을 정확히 이해해야 한다."

이러한 다산의 독서법은 아들 정학유에게 보낸 편지에도 그대로 담겨 있다.

"수천 권의 책을 읽어도 그 뜻을 정확히 모르면 읽지 않은 것과 같으니라. 읽다가 모르는 문장이 나오면 관련된 다른 책들을 뒤적여 반드시 뜻을 알고 넘어가야 하느니라. 또한 그 뜻을 알게 되면 여러 차례 반복하여 읽어 너의 머릿속에서 떠나지 않게 하거라."

다음으로 질서란 책을 읽다가 깨달은 것이 있으면 잊지 않기 위해 적어가며 읽는 것을 말한다. 다시 말해 메모하며 책을 읽는 방법이다. 언제 어디서나 책을 읽을 때면 메모지를 갖추어 두고 떠오르는 생각이나 깨달은 것이 있으면 잊지 않기 위해 재빨리 적어야 한다. 질서는 독서할 때 중요한 질문과 기록을 강조하고, 학문의 바탕을 세우고 주견을 확립하는 데 도움을 주는 자발적이고 적극적인 독서법이다.

다산은 기록을 중요하게 여겼는데, 흔들리는 배 위에서도 쉴 새 없이 붓을 들어 메모하고 또 시를 지었다고 한다. 특히 경전을 공부할 때 의심했던 부분에 대한 답을 얻게 되면 그 순간을 놓치지 않고 메모하고 기록했다.

마지막으로 초서란 책을 읽다가 중요한 구절이 나오면 이를 베껴 쓰는 것을 말한다. 이 역시 아들 학유에게 보낸 편지글에서 그 방법을 자세히 말하고 있다.

"독서할 때는 어떻게 해야 하느냐? 한번 쭉 읽고 버려둔다면 나중에 다시 필요한 부분을 찾을 때 곤란하지 않겠느냐? 그러니 모름지기 책을 읽을 때는 중요한 일이 있거든 가려서 뽑아서 따로 정리해 두는 습관을 길러야 할 것이다.

이것을 초서(抄書)라고 한다. 허나 책에서 나한테 필요한 내용을 뽑아내는 일이 처음부터 쉬운 일은 아닐 것이다. 먼저 마음속에 무엇이 중요하고 무엇이 필요한 내용인지 일정한 기준이 있어야 하지 않겠느냐?

곧 나의 학문에 뚜렷한 주관이 있어야 하는 것이란다. 그래야 마음속의 기준에 따라 책에서 얻을 것과 버릴 것을 정하는 데 곤란을 겪지 않을 것이야. 이런 학문의 중요한 방법에 대해서는 앞서 누누이 말했는데 너희가 필시 잊어버린 게로구나. 책 한 권을 얻었다면 네 학문에 보탬이 되는 것만을 뽑아서 모아둘 것이며 그렇지 않은 것은 하나 같이 눈에 두지 말아야 한다. 이렇게 하면 100권의 책도 열흘간의 공부에 지나지 않을 뿐이다."

초서는 이처럼 주제를 정하고 필요한 부분을 발췌하며 이를 조직함으로써 자신만의 지식을 얻을 수 있는 방법이다. 다산의 엄청난 양의 저술은 바로 초서의 힘이 아닌가 한다.

책 고르기

어떤 책을 읽어야 하나? 나는 이러한 질문이야말로 대표적인 우문이라고 생각한다. 먼저 좋은 책이란 무엇인지 정의하기 어렵다. 또한 주장도 제각각이다. 변별점을 찾기가 곤란하다. 현답이 될 수는 없겠지만 나는 대체로 다음 세 가지 기준을 정해 놓고 책을 선택한다.

첫째, 거창하게 말하면 실사구시적 기준이다.

조선 중기 실학자 이수광(1563~1628)은 "경서와 역서를 두루 섭렵하라. 그러나 이를 정치에 적용하지 않으면 뜻 없는 공부나 마찬가지다."라고 했다. 여기에서 주목해야 할 포인트는 '적용'이다. 이수광의 책 읽기는 실천, 실용에 주목했다. 독서를 출세와 인격 수양을 위한 방편으로 삼았던 많은 유학자와는 달랐다. 실생활에 유용한 공부, 즉 현재에 적용할 수 있는 공부를 해야 한다고 생각한 것이다.

나의 실사구시적인 책 고르기는 나의 현재 상황과 직접적으로 관련된 책을 읽는 것이다. 남들이 좋은 책이라고 권해도 나에게 필요하지 않으면 좋은 책이라고 할 수 없다. 나의 문제를 해결하고 도움이 되는 독서다. 궁금증이 커지면 관련 책이나 관심사가 보인다. 안테나에서 전파가 잡히는 것과 같은 이치다. 스펀지가 물을 흡수하듯이 빨려 들어오게 된다. 그러한 자기의 관심사를 다루는 책. 그것이 좋은 책이라는 판단이다. 글쓰기의 주제가 '사랑'이라면 사랑에 관련된 책을 집중적으로 읽는 방식이다. 이렇게 되면 꼬리에 꼬리를 무는 책 고르기가 된다.

두 번째 기준은 좋아하는 작가다.

마케팅 용어 중에 360도 IMC(Integrated Marketing Communication)라는 것이 있다. 모든 마케팅 활동을 통합하고 집중해서 소비자가 브랜드를 명확히 인식할 수 있도록 하는 방법이다. 소비자를 브랜드와 꽁꽁 묶어서 영원히 함께 살아가자는 전략이다.

마찬가지로 한 사람의 작가를 정해 놓고 IMC처럼 집중적으로 그 작가의 작품을 파고들어가는 방법이다. 이 같은 방법은 극단적으로 자신이 목표로 하는 작가가 되어보는 것이다. 몸과 마음을 일체화시켜서 그 작가의 모든 것을 흡수하는 방법이다. 실제로 상당수의 사람들이 이러한 방식으로 독서하고 있다.

이와 같은 책 고르기는 작가의 신뢰도에 기반을 두기에 후회

하는 경우가 드물다는 장점이 있다. 한 작가의 가치관 및 주장을 온전히 파악할 수 있고 나아가 단어, 표현력, 인용 문구, 인용 책, 인용 작가, 기타 참고자료까지 디테일한 것을 생생하게 바라볼 수 있다. 마치 하나의 족집게 과외를 받는 경우와 같다. 자신의 마음속에 메인 작가를 선정하고 집중하면서 어느 경지에 올라가면 또 다른 작가로 작가의 수를 늘려간다. 『구본형의 마지막 편지』에는 이러한 책 고르기 방법이 친절히 설명되어 있다.

"그때 그는 훌륭한 결심을 하게 된다. 바로 자신에게 더할 수 없는 선물을 하기로 한 것이다. 이 젊은이는 자신이 보고 싶은 모든 책에 파묻혀 보낼 계획을 세웠다. 그래서 우드스톡이라는 작은 마을로 들어가 5년 동안 칩거했다. 먼저 좋아하는 작가의 책을 모조리 읽고 그다음에는 그 작가가 인용한 책의 작가로 옮겨가 그들이 쓴 책들을 모조리 읽어 나갔던 것이다. 그에게 영향을 준 작가들은 이런 '모두 읽기' 방식으로 그의 스승이 되어 주었다."

진낙식의 책『독서법도 모르면서 책을 읽는 사람들』에서는 이런 책 고르기 방법을 '전작주의 독서법'이라 하며 소개하고 있다.

좋아하는 작가가 있는가? 없다면 만들어라. 그래야 독서 습관도 만들고 그 작가의 내공을 내 것으로 만들 수 있다. '전작주의 독서법'이란 한 작가의 모든 작품을 다 읽어 보는 독서법을 말한다. 이 말은 조희봉의 책『전작주의자의 꿈』을 통해 대중적으로 알려졌다. '전작주의 독서법'의 장점은 한 작가가 쌓아온 결과물을 모조리 자신의 것으로 만들 수 있다는 장점이 있다.

'전작주의 독서법'은 매력적이고 흥미로운 표현이다. 내가 하나의 전문가가 될 수 있다는 뜻이 되며, 그 사람의 모든 것을 내 것으로 만들 수 있다는 이야기다. '그 사람으로부터 모든 것을 배워야지. 그 사람처럼 살아야지.'라는 마음이 '전작주의 독서법'이다. 내가 창조한 것은 아무것도 없다. 창조는 모방에서부터 시작한다.

세 번째 기준은 고전이다.

고전(古典)이란 오랫동안 많은 사람에게 널리 읽히고 모범이 될 만한 문학이나 예술 작품을 말한다. 사람으로 치면 옛 성현(聖賢)들이고 사물로 치면 명승고적으로 비유할 수 있겠다. 나는 다음 세 가지 측면으로 고전의 의미를 보고 있다.

하나. 고전은 시간적, 공간적 제약을 뛰어넘는 보편적인 가치를 담고 있다. 검증되었기 때문이다. 그래서 오늘날에도 여전히 영향력을 발휘한다. 누가 옳은 사람인지 아니면 그른 사람인지를 구별하기가 쉽지 않다. 고전은 미리 잘 준비된 책이다. 매일 수많은 책이 쏟아져 나오는 현실을 감안할 때 고전의 가치는 상대적으로 더욱 빛이 난다.

둘. 고전은 배울 점이 많이 있다. 삶의 경영에 대한 노하우가 담겨 있다. 선험적인 교훈을 얻을 수 있다. 시대의 인물과 함께 살아볼 수 있기에 그 시대의 희로애락을 경험할 수 있다. 책을 읽으면 옛사람들과도 벗이 된다고 했다. 고전은 좋은 깨달음을 얻고 앞으로 나아갈 길을 발견하는 데 도움이 된다. 개인, 기업, 국가에 이르기까지 경영의 본질을 고전에서 찾고자 하는 이유가 여기에 있다.

셋. 고전은 창조의 발판이다. 모든 존재는 예전의 그 무엇에 뿌리를 두고 있다. 오늘 만나는 새로움도 최초의 그 무엇과 교감되어 파생된 또 하나의 결과물이다. 고전은 훌륭한 기준점이 된다. 창조는 고전을 새롭게 해석하여 오늘날 문제를 풀어가는 실마리를 만드는 것이다. 옛것을 익혀 새것을 안다고 했다. 바로 고전의 힘이다.

이탈리아 문학가 이탈로 칼비노(Italo Calvino, 1923~1985)는 『왜 고전을 읽는가』에서 단순하면서도 심오한 고전관을 소개한다.

고전은 무언가에 유용하기 때문에 읽어야 하는 것이 아니다. 우리가 인정할 수 있는 단 한 가지 사실은 고전을 읽지 않는 것보다 읽는 것이 낫다는 것이다. 혹여 누군가가 고전을 구태여 읽어야 하냐고 반문한다면 나는 에밀 시오랑(Emil Cioran, 1911~1995)의 다음 글을 인용할 것이다.

소크라테스는 독약이 준비되는 동안 피리로 음악 한 소절을 연습하고 있었다.

"대체 지금 그게 무슨 소용이요!"

누군가가 이렇게 묻자 소크라테스는 다음과 같이 답했다.

"그래도 죽기 전에 음악 한 소절은 배우지 않겠는가."

독서 습관의 육하원칙

'체화(體化)'라는 말이 있다. 생각, 사상, 이론 따위가 몸에 배어서 자기 것이 되는 것을 말한다. 몸에 착 붙어서 능수능란하게 해내는 경지다. 습관의 궁극은 체화다. 체화는 좋은 습관, 나아가서 독한 습관을 통하여 얻어진다. 독서, 즉 책읽기의 경우도 마찬가지다. 독서 습관을 체화의 경지로 밀고 나아가 보자. 마치 땅굴을 파 들어가듯이 말이다.

어떻게 해야 할까?

옛말에 진수무향(眞水無香)이라고 했다. '티 나지 않는 자연스러움'이 최고의 경지다. 결국 책을 우리의 일상 속으로 끌고 들어와야 한다. 책을 읽는 것이 생활의 자연스러운 일부분이 되도록 해야 한다. 일상을 장악하는 효율적인 방법은 육하원칙을 기준 삼아 관리하는 것이다.

육하원칙은 생각의 틀을 만드는 것이다. 생각의 틀이 잡히면 행동이 잡히고 결과적으로 습관이 잡힌다. 이름하여 '독서 습관의 육하원칙'을 만들어 실천하는 것이다.

When

안중근 의사의 유묵 "일일불독서 구중생형극(一日不讀書 口中生荊棘: 하루라도 글을 읽지 않으면 입안에 가시가 돋는다.)"을 상기하라. 아주 잠깐이라도 매일매일 책을 읽는 것을 원칙으로 하라. 5페이지든 10페이지든 하루에 꼭 읽어야 한다. 티끌 모아 태산이라고 했다. "Out of sight, out of mind."라는 영어 속담처럼 사람은 자주 보지 않으면 사이가 멀어진다. 반대로 자주 보아야 가까워진다는 말이기도 하다.

책도 그렇다. 책과 가까이할 수 있는 환경을 조성하라. 침대 머리맡, 소파, 화장실, 차 안에도 책을 놓아두라. 그리고 가지고 다녀라. 지하철에서 책을 읽는 풍경의 주인공이 되라. 늘 손이 닿는 곳에 책이 있도록 만들어라. 그래서 시도 때도 없는 책과의 만남이 조성되어야 한다.

Why

파키스탄에서는 연자 맷돌을 돌리는 소의 눈을 까만 보자기로 동여매 가린다고 한다. 눈을 가리지 않으면 제자리를 도는 것에 지쳐서 그만 주저앉고 말기 때문이다. 우리의 삶에도 목표가 없다면 영문을 모르고 줄곧 제자리에서 맷돌을 돌리는 소와 다름 없을 것이다. 어떤 일이든지 강력한 지향점이 존재해야 좋은 결과를 얻는다.

독서의 경우도 마찬가지다. 우선 독서의 목적과 목표를 세워야 한다. 책이 있으니 무작정 독서하는 것이 아니라 명확한 목표를 설정하고 그에 맞는 독서를 해야 한다. 목표는 지식을 축적하는 것이 될 수도 있고 자신의 능력 향상을 위한 것이 될 수도 있다. 나아가 궁극적으로 당신을 변화시키는 그 무엇이 될 수도 있다.

뚜렷한 목표의식은 독서하는 데 있어서 등대이자 나침반이자 별과 달이다. 길을 잃고 헤매거나 힘겨워할 때 중심을 잡아 준다. 좋은 목표 가운데 하나는 목표를 구체화시키는 것이다. 기간을 정하고 읽을 책의 권수를 명시하라. 예를 들면 1주일에 1권, 경험상 이 정도면 매우 험난한 목표였다. 당신에게 맞는 목표를 정하라.

What

책을 선택하는 기준이나 원칙을 세우는 것이다. 책이 홍수처럼 쏟아져 나온다. 골라 읽는 기준이 없으면 올바른 책을 선택할 수 없다. 책의 선택 기준은 일반화나 표준화를 할 수 없다. 사람마다 음식 맛을 다르게 느끼듯이 책의 맛도 다르기 때문이다. 책에 관한 저마다의 허기짐이 있다. 사람마다 책을 통하여 얻고자 하는 영양소가 다르다.

당신의 기준을 세워야 골라 읽는 재미를 얻을 수 있다. 어떤 독서 전문가는 자신이 읽고 좋았던 책들을 추천하는 경향이 있다. 물론 좋은 참고가 된다. 그러나 비판적으로 봐야 한다. 당신이 소화를 잘 시킬 수 있는 내용이어야 한다.

양서(良書)나 필독서(必讀書), 그리고 베스트셀러 등도 선택 기준의 하나다. 앞서 나는 나의 선택 기준을 크게 실사구시, 즉 지금 당장 나에게 도움이 되는 책, 좋아하는 작가의 책, 그리고 고전으로 그 기준을 제시한 바 있다. 미국의 시인이며 철학자인 에머슨은 심플하지만 강력한 원칙을 가지고 있다.

"나에게는 세 가지 독서원칙이 있다. 첫째는 일 년이 지나지 않은 책은 읽지 않는다. 둘째는 정평이 있는 책 외에는 읽지 않는다. 셋째는 좋아하는 책 외에는 읽지 않는다."

책을 선택하는 당신의 원칙은 무엇인가?

How

보다 효과적인 독서 방법을 강구해야 한다. 스쳐 지나가거나 흔적도 없이 사라지는 독서가 되어서는 안 된다. 책을 읽은 만큼 무엇인가 당신에게 도움이 되는 것이 분명하게 남는 독서가 되어야 한다. 나의 경우, 다음 두 가지 사항을 염두에 두고 효과적인 독서를 하고자 노력한다.

하나. 독서 내용을 타인에게 전달해야 한다고 스스로 가정하는 것이다. 그러면 책을 읽는 집중력이 높아진다. 부담도 되고 긴장이 되기 때문이다. 출장 보고서를 제출해야 한다거나 발표하라고 하면 출장의 질이 달라진다. 여행 후기를 공유하라고 하면 여행 중에 보는 내용과 깊이가 달라진다. 따라서 읽는 책에 대하여 청중에게 강의해야 한다고 가정하면 더 절실한 독서가 된다. 그만큼 독서 효과는 높아진다.

핵심을 잘 정리해 두면 책 소개나 전달이 한결 쉬워진다. 정리는 남김이다. 벽돌을 한 장 찍어내는 것과 같이 독서 내용을 구체적인 덩어리로 간직해야 한다. 정리의 요체는 책 내용을 하나의 문장으로 요약해 보는 것이다.

다음은 독서 내용을 비유하고 시각화하는 것이다. 독서를 통하여 새로 습득한 지식을 기존에 알고 있는 내용과 비교하고 비유하는 것이다. 대비효과가 나서 기억이 용이하다. 시각화도 마찬가지다. 문장이나 텍스트에 집중하기보다는 이것을 도표, 그림 등으로 그려내 이해하는 것이다. 나아가 새로운 것을 기존의 생각과 융합시켜서 나만의 의미를 만들어 내는 것이다.

Who

독서는 혼자 하는 것이 더 좋다고 알려져 있다. 그래서 혼자 놀음이라고도 한다. 오롯이 책에 폭 빠져들기에는 혼자일 때가 더 유리하기 때문이다. 하지만 꼭 그런 것만도 아닌 것 같다.

독서 효과를 높이기 위해서는 다른 사람들과 함께하는 것도 좋다는 의견이 많다. 실제 주변에는 이러한 함께 읽기 모임을 많이 볼 수 있다. 함께 읽기는 독서토론회나 발표회 등 오프라인 모임만 있는 것은 아니다. 서평 블로그나 카페 그리고 SNS 같은 도구를 활용해서 자신의 독서 성과를 다른 사람과 공유하는 것도 좋은 방법이다.

『이젠, 함께 읽기다』에서는 독서모임의 장점을 독서토론의 사례를 통하여 소개하고 있다. 요점은 크게 세 가지다. 개인적인 책 읽기에서 벗어남은 물론이고 피상적이고 독단적인 이해의 위험을 극복하게 해준다. 자신의 생각을 객관화해 볼 수 있다. 수평적인 의사소통 능력을 기르는 데 도움이 된다. 나는 박경리 소설『토지』를 혼자 외롭게 읽는 동안 '누구랑 함께 읽었더라면….' 하고 후회를 많이 했다. 이후에 지인들과 독서토론회를 만들어서 월 1회 책에 관하여 이야기를 나누고 있다. 당신은 혼자인가? 함께인가?

Where
맹모삼천지교, 까마귀 노는 곳에 백로야 가지 마라.
이 모두가 주변 환경의 중요성을 강조하는 말이다. 독서 습관의 경우도 주변 환경이 대단히 중요하다. 주요 생활 무대를 책이 있는 곳으로 삼아야 한다. 도서관과 서점을 내 집처럼 내 방처럼 드나들어라. 감히 공개적으로 말하는데 나는 어느 정도 습관화가 되었다. 지인들이 이 사실을 알면 천지가 개벽했다고 놀랄 것이다. 당신도 당신의 지인들을 놀라게 하라.

이제 퇴근길에는 특별한 일이 있지 않은 한 매일 서점을 둘러보고 집으로 간다. 마치 농부가 곡식이 자라는 논밭을 둘러보는 모습처럼 말이다. 또한 주말에는 지역 공공도서관을 찾아 책을 읽는다. 뒤늦게 형성된 이러한 좋은 습관을 계속 유지하기 위해 마음을 더욱더 단단히 다진다. 나는 지역에 있는 광진정보도서관 그리고 중곡문화체육센터 도서관에 자주 간다. 친절한 사람, 편리한 시설, 좋은 환경까지 있다. 그곳에서 열심히 공부하지 못하면 그 모든 책임은 나 자신일 것이다. 좋은 독서 습관을 만들기 위한 당신의 주요 생활무대는 어디인가?

책과 인생

"책을 안 읽는 사람은 한 번의 인생을 살지만 책을 읽는 사람은 여러 번의 인생을 산다."
- 밀란 쿤데라(Milan Kundera)

1958년, 서독의 노이슈타트.
한 소년이 하교 길에 고열과 구토로 고생한다. 지나가던 여인(케이트 윈슬렛 분)이 우는 소년(데이비드 크로스 분)을 집까지 바래다준다. 성홍열에 걸려 3개월을 누워 지낸 소년은 감사의 마음을 전하러 꽃을 들고 여인을 찾아간다. 둘은 곧 연인 관계가 된다. 여인의 손에 이끌려 첫 경험을 한 15세 소년은 그 36세 여인에게 책을 읽어 준다.

글자를 몰랐기에 무미건조한 삶을 살았던 여인에게 소년이 읽어주는 글들은 삶의 재미가 된다. 희로애락을 느끼고 울기도 하고 웃기도 한다. 마치 정해진 시간에 육체관계를 맺는 것처럼 두 사람의 책 읽기는 하나의 습관이 된다. 그러나 여인은 뜨겁게 사랑한 소년을 남겨두고 말없이 떠나간다. 이유를 알 수 없이 버림받은 소년은 법대에 진학하고, 전범을 다루는 법정에서 피고로 선 여인을 다시 만나게 된다….(중략)

영화 〈더 리더: 책 읽어주는 남자〉의 줄거리다.
나는 이 영화를 2009년에 보았는데 가슴 저릿한 기억이 많다. 영화의 주제와는 상관없이 책과 관련된 부문만을 가져와 의미를 부여해 본다. 책과 관련된 부분이라고 하는 것은 다름 아닌 "두 사람의 책 읽기는 하나의 습관이 된다."라는 바로 그 대목이다.
책은 나이와 계급, 성별 등의 차이를 극복하는 소통 도구다. 어린 남자와 나이 차이가 크게 나는 연상의 여자라도 문제가 되지 않는다. 사랑의 감정을 교환하는 좋은 매개체다. 영화처럼 말이다.

책을 읽는 사람이 위대한 사람이다.

남자들이여 여자들에게 책을 읽어 주시라. 여자들이여 남자들에게 책을 선물해 주시라. 혹은 그 반대라도 좋을 것이다. 책읽기는 하나의 습관이 될 것이며, 책을 함께 읽는 남녀는 사랑하게 될 것이다. 책은 이렇듯 운명을 바꾼다.

책 읽어주는 당신, 책 선물하는 당신이 되길 바란다.

에필로그

마른하늘에 날벼락

　오랜만에 초등학교 동창회에 참석했다. 많은 친구가 불원천리 달려와서 말 그대로 성황을 이루었다. 초등학교를 졸업하고 처음 만나 보는 친구들도 있었다. 서로 마주보며 몰라보게 변한 모습에 놀라기도 하고 반가워도 했다. 세월의 빠름을 절감하지 않을 수 없었다. 추억 어린 초등학생 그 시절로 다시 돌아간 것 같아서 즐거웠다. 친구들은 시골 팀, 서울 팀으로 편을 갈라서 열띤 응원전과 함께 배구, 축구, 줄다리기를 했다.

　행사 막바지에 한 친구가 쭈뼛쭈뼛하며 나타났다. 그런데 그 친구의 첫 느낌은 보기 좋기는 고사하고 오히려 걱정스러웠다. 말이 어눌하고 두 눈의 초점도 흐릿했다. 행동거지가 정상이 아닌 듯 부자연스러웠다. 친구의 원래 모습과는 딴판이었다. 다른 친구에게 의문의 눈길을 보냈다. 충격적인 이야기를 들었다.

　그 친구는 뇌졸중으로 쓰러져 정신을 잃었었는데 무려 14일 만에 깨어났다고 했다. 목숨을 건진 것이 기적적인 일이지만 그 후유증으로 고생하고 있다는 것이다. 뇌졸중의 무서움만큼 그 친구의 생활도 무섭게 무너졌다. 번창하던 사업이 중단된 것은 물론이고 가정도 풍비박산이 났다고 했다.

　친구와 말없이 술 한잔을 주고받았다. 미안한 생각이 들었다.

나는 그 친구의 아픔을 함께 나누기는커녕 소식조차 듣지 못하고 지냈으니 말이다. 친구가 나에게 어렵게 한마디 했다.

"나는 죽었다가 다시 살아난 것이니 덤으로 사는 인생이다. 되돌아보니 후회스러운 것이 많더라. 후회 없이 살자."

그리고 앞으로 오늘 같은 동창 모임에 꼭 나올 것을 당부했다. 좋은 인연과 좋게 지내는 것이 행복한 삶을 사는 방법 중 하나가 아니겠냐고 했다. 그렇게 초등학교 동창들과 1박 2일을 지냈다.

다음 날 서울로 올라오는 동안 친구의 모습과 친구가 했던 말이 생각나서 마음이 무거웠다. 하지만 어찌 보면 우리 모두가 다 덤으로 사는 인생일 수도 있다는 생각이 들었다.

사실, 하루하루 알게 모르게 우리도 여러 고비를 넘기며 살고 있다. 마른하늘에 날벼락 같은 일이 비일비재로 일어나고 있으니 말이다. 새삼, '우리는 어떻게 살아야 하나?' '우리는 과연 미래를 예측할 수 있는 것인가?' 가볍지 않은 질문을 스스로에게 던져 보았다. 도로의 오르막과 내리막을 연이어 달리면서 인생도 마찬가지로 오르막과 내리막의 합이라는 생각을 했다. 철학자가 된 하루였다.

천상천하유아독존

한 인간이 세상에 태어날 확률을 계산할 수 있을까? 혹자는 그 확률이 수십억 분의 일에서 수백억 분의 일이라고 주장하고 있다. 무슨 의미일까? 당연히 "사람으로 태어나기가 매우 어렵다."는 뜻이다. 바로 불교에서 말하는 인신난득(人身難得)이라는 가르침이다.

이쯤 되면 이 세상에 사람으로 태어난 것은 분명히 하나의 기적이다. 이 세상에 나와 같은 사람은 단 한 명도 없으며 앞으로 태어날 수도 없다. 그래서 한 번뿐인 내 인생이라는 표현이 가능하다. 우리에게는 남을 의식하고 심지어 열등감 따위를 느낄 겨를이 없다.

자긍심으로 무장하자. 우리는 각자가 기적의 사람들이기 때문이다. 굳이 하늘 위와 하늘 아래에서 오직 나 홀로 존귀하다는 부처님의 말씀을 빌리지 말자. 이 세상에서 자기 자신보다 존귀한 존재는 없다.

후회 없는 삶, 다시 말하면 행복한 삶이란 '나'로 사는 삶이다. 나로 산다는 것은 나의 정체성을 가지고 사는 것이다. 그 시작은 나를 사랑하는 것이다. 자기 자신을 정직하게 바라보지 않으면 올바른 답을 찾을 수 없다. 장점이든 결점이든 자신을 있는 그대로 받아들이자. 선택의 결과가 아닌 것은 장점이나 실패로 간주될 수 없다고 했다.

"인생이 괴로운 것이 아니라 자신이 인생을 소홀히 하기 때문에 괴로운 것이다."라는 말에 동의한다. 인생이 아무리 괴로움의 바다를 건너는 것이라 하더라도 그 속에는 영롱한 진주도 숨어 있다. 고해라는 인생의 바다 속에서 나 자신이 아름다운 진주로 태어나기 위한 시작은 나 자신을 진주처럼 소중하게 여기고 사랑하는 것이다.

"내가 대신 수능을 볼 수도 없고…."
대학입시가 다가오면 많은 부모가 푸념조로 하는 말이다. 어디 대입 수능뿐이겠는가? 취직도 승진도 누군가가 대신할 수 없는 노릇이다.
결정적인 기로에서 선택권을 쥐고 있는 사람은 오직 자기 자신뿐이다. 자기 주도적인 삶을 살아야 하겠다.

당신도 보석이 되어야 한다

세월이 갈수록 인생을 대하는 자세가 달라진다. 헬렌 켈러(Helen Keller, 1880~1968)의 지적이 준열한 꾸짖음으로 다가온다. 인생을 제대로 살아야 한다는 말에 다름 아니다.

"자신이 가진 것에 감사할 줄 모르고 갖지 못한 것만 갈망하는 그런 존재가 아마 인간일 겁니다."

왼쪽 뇌에는 니체(Friedrich Wilhelm Nietzsche, 1844~1900)

의 말을 되새겨 보자.

"자기 자신을 정확히 아는 것으로부터 시작하라. 스스로에게 거짓말을 하지 말고 항상 성실해야 한다. 자신이 어떤 사람인지, 어떤 습성을 갖고 있으며, 어떤 반응을 보이는 사람인지 제대로 알아야 한다. 자신을 제대로 알지 못하면 사랑을 느낄 수 없다. 사랑하기 위해, 사랑받기 위해 스스로를 정확히 아는 것부터 시작하라. 자신조차 모르면서 상대를 알기란 불가능한 일이다."

오른쪽 뇌에는 버킷리스트를 새겨보자.

버킷리스트는 인생을 열심히 살겠다는 계획표다. 현대판 '율곡의 자경문'일 수도 있다. 버킷리스트 혹은 자경문을 작성해서 실행해 보는 것도 좋을 듯싶다.

다이아몬드만 영원한 것이 아니다. 당신도 보석처럼 영원히 빛나야 한다.

참고도서

강수진, 『나는 내일을 기다리지 않는다』, 인플루엔셜.
갤브레이스, 『불확실성의 시대』, 홍신문화사.
고은, 『순간의 꽃』, 문학동네.
구본권, 『당신을 공유하시겠습니까?』, 어크로스.
구본형, 『구본형의 마지막 편지』, 휴머니스트.
구본형, 『오늘 눈부신 하루를 위하여』, 휴머니스트.
김두식, 『불편해도 괜찮아』, 창비.
김재문, 『프로기획자의 전략적 사고』, 새로운 제안.
김주대, 『그리움의 넓이』, 창비.
김훈, 『남한산성』, 학고재.
노무현, 『노무현이 만난 링컨』, 학고재.
도종환, 『당신은 누구십니까』, 창작과 비평.
라 로슈푸코, 『잠언과 성찰』, 해누리.
로버트&미셸 루트번스타인, 『생각의 탄생』, 에코의 서재.
루이스 버즈비, 『노란 불빛의 서점』, 문학동네.
리처드 E 뉴스타트, 『대통령의 권력』, 다빈치.
미레유 길리아노, 『프랑스 여자는 늙지 않는다』, 흐름출판.
미셸 투르니에/에두아르 부바, 『뒷모습』, 현대문학.

밀란 쿤데라, 『참을 수 없는 존재의 가벼움』, 민음사.

박경범, 『꽃잎처럼 떨어지다』, 니즈커뮤니케이션.

박석무, 『정약용 유배지에서 보낸 편지』, 창비.

박희도, 『논어 힐링: 공자가 생각한 말』, 북씽크.

변영로, 『명정 40년』, 범우사.

빅터 프랭클, 『죽음의 수용소에서』, 청아출판사.

사마천, 『청소년을 위한 사기열전』, 은금나라.

스티븐 도나휴, 『사막을 건너는 여섯가지 방법』, 김영사.

스티븐 코비, 『성공하는 사람들의 7가지 습관』, 김영사.

신경숙, 『엄마를 부탁해』, 창비.

심우찬, 『프랑스 여자처럼』, 미호.

어니스트 헤밍웨이, 『노인과 바다』, 민음사.

움베르트 에코, 『장미의 이름』, 열린책들.

월터 아이작슨, 『스티브 잡스』, 민음사.

윤성희, 『거기, 당신?』, 문학동네.

이동진, 『아름다운 거래』, 인사이트브리즈.

이운구 역, 『한비자 1』, 한길사.

이탈로 칼비노, 『왜 고전을 읽는가』, 민음사.

이현종, 『心 스틸러－마침내 마음을 여는 열쇠를 얻다』, 이와우.

장현, 『사랑 ING』, 랜덤하우스.

정민, 『다산어록청상』, 푸르메.

진낙식, 『독서법도 모르면서 책을 읽는 사람들』, 지식과감성.

헬렌 켈러, 『사흘만 볼 수 있다면』, 산해.
황대권, 『민들레는 장미를 부러워하지 않는다』, 열림원.

나민구, "맹자에게 배우는 설득과 수사", 『조정을 위한 설득과 수사』 V.15 (2015. 여름호), pp.45-60.

김 정 응 (金 政 應)

1961. 6. 26 충북 괴산 출생
충북 미원초등학교, 미원중학교, 청주고등학교
고려대 신문방송학과
고려대 언론 홍보대학원 최고위과정
연세대 언론 홍보대학원 최고위과정
한양대학교 미디어커뮤니케이션학과 겸임교수

프로야구단 한화이글스
광고대행사 한컴(전 삼희기획)
광고대행사 HS애드(전 LG애드) 상무
광고대행사 HS애드(전 LG애드) 자문위원
헤드헌팅회사 FN Executive Search 부사장(現)

광고대행사에서 신입 기획(AE)부터 시작해서 임원(HS애드)으로 일하는 동안 많은 브랜드의 브랜딩을 고민했다.
대학교에서 겸임교수를 역임하면서 광고를 통한 브랜딩을 연구했다.

헤드헌팅회사에서 브랜딩의 관점을 사람으로 확장하고 이입해서 퍼스널 브랜딩을 컨설팅하고 있다.

중앙일보 '비즈 칼럼' 및 조선일보 브랜드 특집에 브랜딩 관련 기고를 했다.

상명대, 우석대, 경북대, 코바코 등에서 브랜딩 및 광고 관련 특강을 했다.

"인간은 브랜드이고 브랜딩은 곧 인생이다."

브랜딩에 대한 경험과 철학을 바탕으로 이 땅의 '당신'이라는 브랜드들에게 삶의 응원가를 불러 주는 일을 미션으로 생각하고 있다.

인명 index

새로운사람들은 항상 새롭습니다.
독자의 가슴으로 생각하고 독자보다 한 발 먼저 준비합니다.
첫 만남의 가슴 떨림으로 여러분과 만나겠습니다.

김정웅의 브랜딩 응원가
당신은 특별합니다

초판1쇄 인쇄 2017년 5월 8일
초판1쇄 발행 2017년 5월 12일
초판2쇄 발행 2017년 6월 30일

지은이 김정웅
펴낸이 이재욱
펴낸곳 (주)새로운사람들
디자인 김남호
마케팅관리 김종림

ⓒ 김정웅, 2017

등록일 1994년 10월 27일
등록번호 제2-1825호
주소 서울 도봉구 덕릉로 54가길 25(창동 557-85, 우 01473)
전화 02)2237.3301, 2237.3316 **팩스** 02)2237.3389
이메일 ssbooks@chol.com
홈페이지 http://www.ssbooks.biz

ISBN 978-89-8120-545-4(03810)

* 책값은 뒤표지에 씌어 있습니다.